英語でもっとわかる!

SDGsの環境問題

Environment
Energy
Economy
& Our Lives

有馬 純・沢田 博・南齋規介 著
コスモピア編集部 編

コスモピア

はじめに

2020年に「行動の10年（Decade of Action）」※1が始まって以来、「SDGs」という言葉をさまざまなところで聞くようになった。SDGsは「Sustainable Development Goals」の略で、多くの場合「持続可能な開発目標」と訳される。2015年に国連サミットで採択され、そこに記された目標を2030年までに達成することが世界的に目指されている。

SDGsの中でも環境問題はニュースに取り上げられることが多いテーマで、特に気候変動がその最たるものだ。しかし世界に存在する環境問題は気候変動だけでないし、環境に関する諸問題は相互に影響を与えながら人間社会に悪影響を及ぼしている。さらに環境問題は人間社会が抱えるさまざまな問題、人権問題や社会問題とも複雑につながっており、一筋縄ではいかないし、解決がとても難しいものだ。

そしてそのような環境問題に対して、再エネ賦課金※2やレジ袋有料化のように、私たちはなんらかの行動を日常生活で取ることが求められている。環境問題の複雑性を理解しないまま、私たちは環境問題に対して有効なアクションを起こせるのだろうか。

本書はそのような複雑性をもったさまざま環境問題について、各専門家の記事を交えつつ解説していくものだ。

※1　SDGs進捗の遅れを受けて、2019年の国連総会で打ち出されたスローガン。2030年までの目標達成のため、各国の行動の加速化を求めた。

※2　再生可能エネルギー発電促進賦課金のこと。再生可能エネルギーの固定価格買取制度の実施に伴い、電力会社が買い取る再生可能エネルギー由来の電力費用の一部を消費者から集めるために、電気料金に加算される。

本書は主に、以下のような方たちを読者として想定している。

- 高校レベル以上の英語を学んでおり、社会的なテーマに関して英語を学びたい方
- 環境問題について、英語で情報を集めたい方
- SDGs や環境問題に興味があり、それらをテーマに英語を学んでみたい方

現代において、環境問題は一国だけでなくグローバルな視点でその影響を捉えなければならないものだ。幸いなことに、現代ではインターネットを通じて海外の情報をすぐに得られるため、本書で解説とともに紹介する英単語を活用して情報収集にぜひ役立ててほしい。

また本書の姉妹巻として、『VOA で聞き読み SDGs 英語ニュース入門』が 2021 年 7 月に発売されている。SDGs 全般に興味がある方はぜひそちらもお読みいただきたい。

2021 年 11 月

コスモピア編集部

CONTENTS

はじめに …… 2
本書の構成と使い方 …… 8
電子版を使うには …… 13
本書全体のテーマ解説 …… 14

Part 1 SDGsと環境問題

・Part 1 解説 …… 18

Section❶ テーマの解説
・気候変動と地球温暖化 …… 19
・生物多様性と生態系サービス …… 25

Section❷ SDGsと環境問題 年表 …… 30

Section❸ 重要指標の解説
・SDG13 で見るべき指標 …… 34

Exercise 知識問題 …… 40

Section❹ 議論ポイント解説
・温暖化防止だけではない SDGs …… 42

Section❺ SDGsと環境問題 キーワード …… 49

Exercise 思考問題❶ …… 57

Section❻ Part 1 まとめ
・複雑な環境問題の捉え方 …… 59

Exercise 思考問題❷ …… 62

Part 2 環境問題とエネルギー

・Part 2 解説 …… 66

Section❶ テーマの解説

・転換を迫られるエネルギー利用 …… 67

・CO_2 排出量を減らすためのエネルギー関連技術 …… 72

Section❷ 環境問題とエネルギー 年表 …… 80

Section❸ 重要指標の解説

・エネルギー関連で見るべき指標 …… 82

Exercise 知識問題 …… 88

Section❹ 議論ポイント解説

・化石燃料から本当に抜け出せるのか？ …… 90

・「環境に優しい技術」の弱点 …… 94

Section❺ 環境問題とエネルギー キーワード …… 103

Exercise 思考問題❶ …… 109

Section❻ Part 2 まとめ

・知ることから始めるエネルギー問題 …… 111

Exercise 思考問題❷ …… 114

CONTENTS

Part 3 環境問題と経済・ものづくり

・Part 3 解説 …… 118

Section❶ テーマの解説

・ものづくりと環境負荷 …… 119

・環境問題とお金の動き …… 128

Section❷ 環境問題と経済・ものづくり 年表 …… 136

Section❸ 重要指標の解説

・指標で追う資源の流れ …… 138

Exercise 知識問題 …… 148

Section❹ 議論ポイント解説

・環境問題はどの基準で見るべきか …… 150

Section❺ 環境問題と経済・ものづくり キーワード …… 155

Exercise 思考問題❶ …… 159

Section❻ Part 3 まとめ

・経済・ものづくりに遍在する資源問題 …… 161

Exercise 思考問題❷ …… 164

Part 4 環境問題と私たちの暮らし

・Part 4 解説 …… 168

Section 1 テーマの解説

・環境問題と消費生活 …… 169

・環境問題と英語学習 …… 173

Section 2 環境問題と私たちの暮らし 年表 …… 176

Exercise 思考問題 …… 178

エクサイズ解答・解説 …… 181

本書の構成と使い方

Partごとのとびら

本書ではSDGsで取り上げられる環境問題やその関連テーマを、4つのPartに分けて紹介・解説します。

Partの番号とテーマです。

Partの概要です。

Partごとの解説

各Partの内容全体についての紹介・解説です。

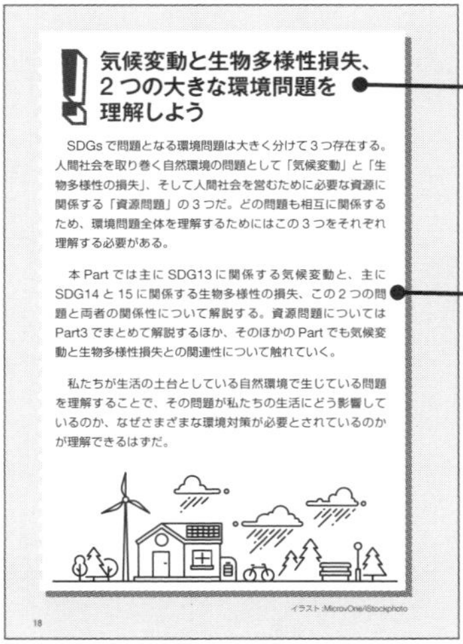

Partで理解してほしいことを示します。

Part全体の解説です。

テーマの解説・重要指標の解説・議論ポイントの解説・各 Part のまとめ

本書では各 Part のテーマを「テーマの解説」「重要指標の解説」「議論ポイント解説」「Part まとめ」の各 Section に分けて解説します。それぞれの解説を読めば、各 Part で紹介する環境問題や関連テーマをより深く理解できるでしょう。

テーマの解説（Section 1） … 各 Part のテーマに関する解説です。
重要指標の解説（Section 3） … 各テーマに関係する指標の解説です。
議論ポイント解説（Section 4） … テーマで議論となるポイントの解説です。
Part まとめ（Section 6） … 各 Part を振り返ってのまとめが書かれています。

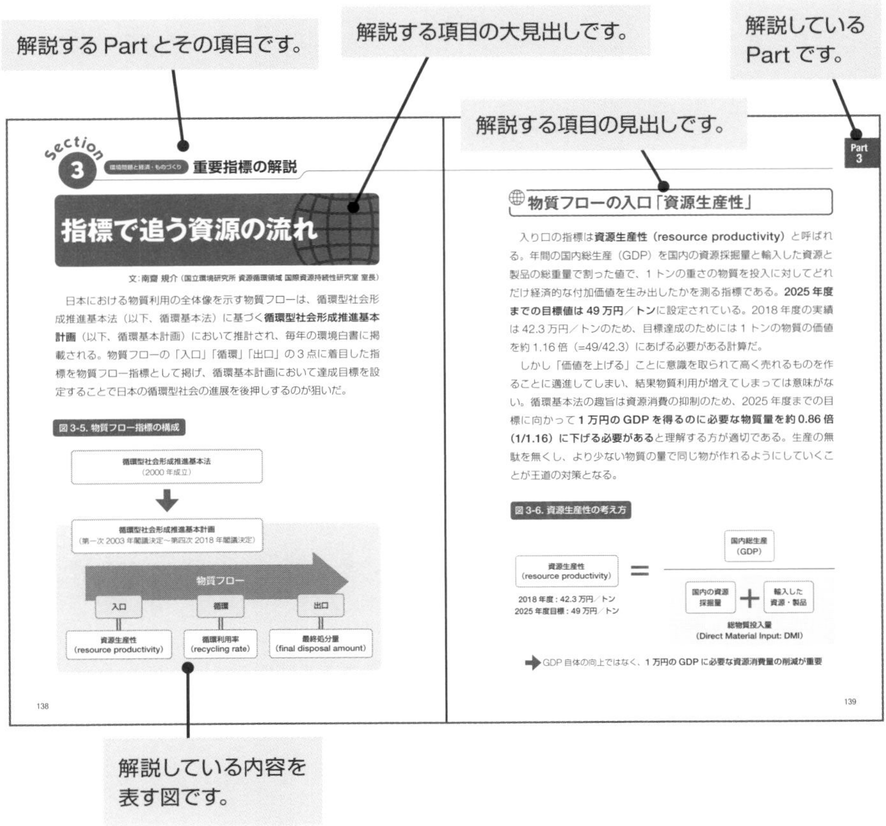

Section 3 環境問題と経済・ものづくり 重要指標の解説

指標で追う資源の流れ

文：南齋 規介（国立環境研究所 資源循環領域 国際資源持続性研究室 室長）

日本における物質利用の全体像を示す物質フローは、循環型社会形成推進基本法（以下、循環基本法）に基づく**循環型社会形成推進基本計画**（以下、循環基本計画）において推計され、毎年の環境白書に掲載される。物質フローの「入口」「循環」「出口」の３点に着目した指標を物質フロー指標として掲げ、循環基本計画において達成目標を設定することで日本の循環型社会の進展を後押しするのが狙いだ。

図 3-5. 物質フロー指標の構成

138

Part 3

物質フローの入口「資源生産性」

入り口の指標は**資源生産性（resource productivity）**と呼ばれる。年間の国内総生産（GDP）を国内の資源採掘量と輸入した資源と製品の総重量で割った値で、1 トンの重さの物質を投入に対してどれだけ経済的な付加価値を生み出したかを測る指標である。**2025 年度までの目標値は 49 万円／トン**に設定されている。2018 年度の実績は 42.3 万円／トンのため、目標達成のためには 1 トンの物質の価値を約 1.16 倍（=49/42.3）にあげる必要がある計算だ。

しかし「価値を上げる」ことに意識を取られて高く売れるものを作ることに邁進してしまい、結果物質利用が増えてしまっては意味がない。循環基本法の趣旨は資源消費の抑制のため、2025 年度までの目標に向かって **1 万円の GDP を得るのに必要な物質量を約 0.86 倍（1/1.16）に下げる必要がある**と理解する方が適切である。生産の無駄を無くし、より少ない物質の量で同じ物が作れるようにしていくことが王道の対策となる。

図 3-6. 資源生産性の考え方

139

年表（Section 2）

各 Part に関係するできごとを時系列にまとめた年表です。環境問題に関する取り組みが、どのような流れで進められているかを確認しましょう。

その年やその時期に起きたことの概要です。

重要な出来事は太字で記し、環境問題対策などの方針に影響を与えたより重要な出来事は大きな文字で表しています。

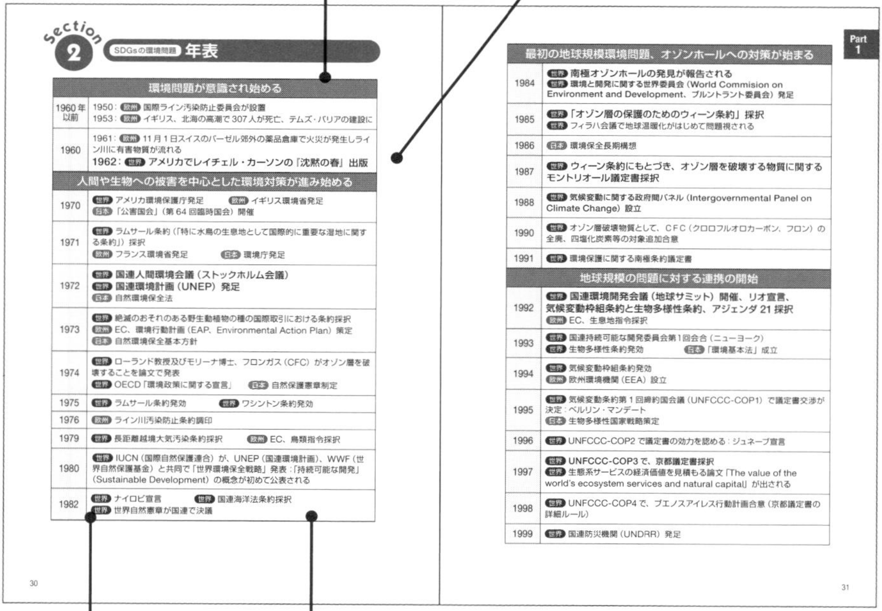

Section 2 SDGsの環境問題 年表

環境問題が意識され始める	
1960 年以前	1950：欧州 国際ライン汚染防止委員会が設置 1953：欧州 イギリス、北海の高潮で 307 人が死亡、テムズ・バリアの建設に
1960	1961：欧州 11 月 1 日スイスのバーゼル郊外の薬品倉庫で火災が発生しライン川に有害物質が流れる **1962：世界 アメリカでレイチェル・カーソンの「沈黙の春」出版**
人間や生物への被害を中心とした環境対策が進み始める	
1970	世界 アメリカ環境保護庁発足　欧州 イギリス環境省発足 日本「公害国会」（第 64 回臨時国会）開催
1971	世界 ラムサール条約（「特に水鳥の生息地として国際的に重要な湿地に関する条約」）採択 欧州 フランス環境省発足　日本 環境庁発足
1972	**世界 国連人間環境会議（ストックホルム会議）** **世界 国連環境計画（UNEP）発足** 日本 自然環境保全法
1973	世界 絶滅のおそれのある野生動植物の種の国際取引における条約採択 欧州 EC、環境行動計画（EAP、Environmental Action Plan）策定 日本 自然環境保全基本方針
1974	世界 ローランド教授及びモリーナ博士、フロンガス（CFC）がオゾン層を破壊することを論文で発表 世界 OECD「環境政策に関する宣言」　日本 自然保護憲章制定
1975	世界 ラムサール条約発効　世界 ワシントン条約発効
1976	欧州 ライン川汚染防止条約調印
1979	世界 長距離越境大気汚染条約採択　欧州 EC、鳥類指令採択
1980	世界 IUCN（国際自然保護連合）が、UNEP（国連環境計画）、WWF（世界自然保護基金）と共同で「世界環境保全戦略」発表：「持続可能な開発」（Sustainable Development）の概念が初めて公表される
1982	世界 ナイロビ宣言　世界 国連海洋法条約採択 世界 世界自然憲章が国連で決議

30

Part 1

最初の地球規模環境問題、オゾンホールへの対策が始まる	
1984	**世界 南極オゾンホールの発見が報告される** 世界 環境と開発に関する世界委員会（World Commision on Environment and Development、ブルントラント委員会）発足
1985	**世界「オゾン層の保護のためのウィーン条約」採択** 世界 フィラハ会議で地球温暖化がはじめて問題視される
1986	日本 環境保全長期構想
1987	**世界 ウィーン条約にもとづき、オゾン層を破壊する物質に関するモントリオール議定書採択**
1988	世界 気候変動に関する政府間パネル（Intergovernmental Panel on Climate Change）設立
1990	世界 オゾン層破壊物質として、CFC（クロロフルオロカーボン、フロン）の全廃、四塩化炭素等の対象追加合意
1991	世界 環境保護に関する南極条約議定書
地球規模の問題に対する連携の開始	
1992	**世界 国連環境開発会議（地球サミット）開催、リオ宣言、気候変動枠組条約と生物多様性条約、アジェンダ 21 採択** 欧州 EC、生息地指令採択
1993	世界 国連持続可能な開発委員会第1回会合（ニューヨーク） 世界 生物多様性条約発効　日本「環境基本法」成立
1994	世界 気候変動枠組条約発効 欧州 欧州環境機関（EEA）設立
1995	世界 気候変動条約第 1 回締約国会議（UNFCCC-COP1）で議定書交渉が決定：ベルリン・マンデート 日本 生物多様性国家戦略策定
1996	世界 UNFCCC-COP2 で議定書の効力を認める：ジュネーブ宣言
1997	**世界 UNFCCC-COP3 で、京都議定書採択** 世界 生態系サービスの経済価値を見積もる論文「The value of the world's ecosystem services and natural capital」が出される
1998	世界 UNFCCC-COP4 で、ブエノスアイレス行動計画合意（京都議定書の詳細ルール）
1999	世界 国連防災機関（UNDRR）発足

31

それぞれの出来事が起きた年や年度です。

各テーマに関して起きた出来事です。関係する場所や機関に応じてマークをつけています。

世界 … 世界的な事件・国際的な発表・国際機関の動きなど
欧州 … 欧州を中心として起きた出来事
日本 … 日本国内で起きた出来事

キーワード（Section 5）

各 Part に関連する重要キーワードについて解説します。各解説 Section 中で取り上げられたものだけでなく、紙幅の都合上取り上げられなかった重要キーワードも紹介しています。

キーワードの見出しです。略称がよく使われる場合、見出しでは略称を記載します。

各キーワードの解説です。略称がよく使われる場合、紹介文の最初に正式名称を記載します。

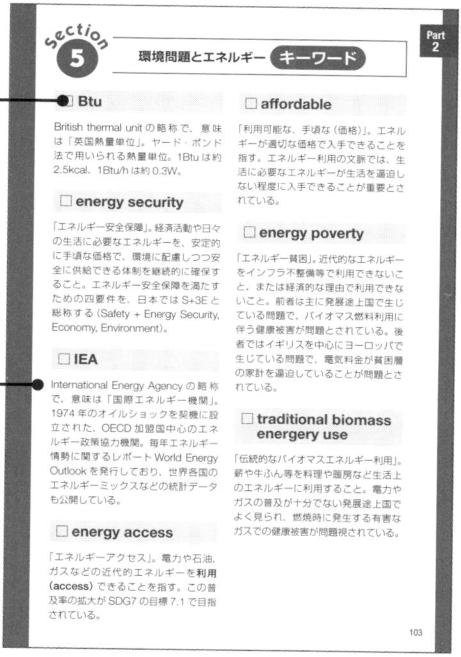

Part 2

Section 5 環境問題とエネルギー キーワード

□ Btu

British thermal unit の略称で、意味は「英国熱量単位」。ヤード・ポンド法で用いられる熱量単位。1Btu は約 2.5kcal、1Btu/h は約 0.3W。

□ energy security

「エネルギー安全保障」。経済活動や日々の生活に必要なエネルギーを、安定的に手頃な価格で、環境に配慮しつつ安全に供給できる体制を継続的に確保すること。エネルギー安全保障を満たすための四要件を、日本では S+3E と総称する（Safety + Energy Security, Economy, Environment）。

□ IEA

International Energy Agency の略称で、意味は「国際エネルギー機関」。1974 年のオイルショックを契機に設立された、OECD 加盟国中心のエネルギー政策協力機関。毎年エネルギー情勢に関するレポート World Energy Outlook を発行しており、世界各国のエネルギーミックスなどの統計データも公開している。

□ energy access

「エネルギーアクセス」。電力や石油、ガスなどの近代的エネルギーを**利用（access）**できることを指す。この普及率の拡大が SDG7 の目標 7.1 で目指されている。

□ affordable

「利用可能な、手頃な（価格）」。エネルギーが適切な価格で入手できることを指す。エネルギー利用の文脈では、生活に必要なエネルギーが生活を逼迫しない程度に入手できることが重要とされている。

□ energy poverty

「エネルギー貧困」。近代的なエネルギーをインフラ不整備等で利用できないこと、または経済的な理由で利用できないこと。前者は主に発展途上国で生じている問題で、バイオマス燃料利用に伴う健康被害が問題とされている。後者ではイギリスを中心にヨーロッパで生じている問題で、電気料金が貧困層の家計を逼迫していることが問題とされている。

□ traditional biomass energery use

「伝統的なバイオマスエネルギー利用」。薪や牛ふん等を料理や暖房など生活上のエネルギーに利用すること。電力やガスの普及が十分でない発展途上国でよく見られ、燃焼時に発生する有害なガスでの健康被害が問題視されている。

103

Exercise（知識問題・思考問題）

読んだ内容をしっかり定着させるために、以下の2種類のエクササイズが用意されています。

知識問題 …各 Part で解説された内容の知識を問う問題です。
Section 1 と 3 を中心に、一部 Section 5 からも出題します。

思考問題 …各 Part で解説された内容を元に英作文を行う問題です。
重要事項を説明したり、自分の考えを表現する問題を出題します。

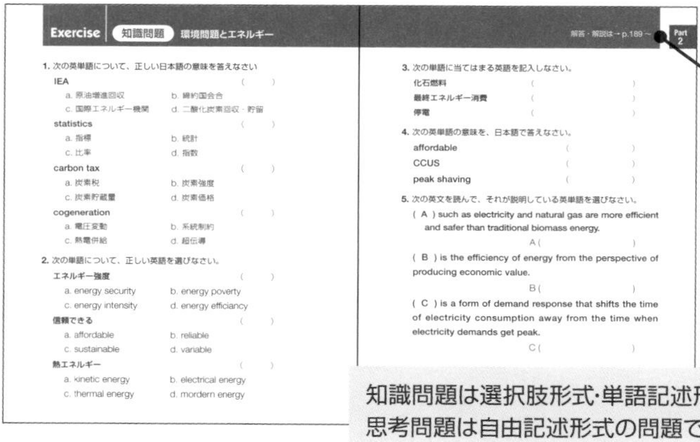
Exercise 知識問題 環境問題とエネルギー

解答・解説は→ p.189 ～ Part 2

1. 次の英単語について、正しい日本語の意味を答えなさい

IEA （ ）
a. 原油増進回収 b. 締約国会合
c. 国際エネルギー機関 d. 二酸化炭素回収・貯留

statistics （ ）
a. 指標 b. 統計
c. 比率 d. 指数

carbon tax （ ）
a. 炭素税 b. 炭素強度
c. 炭素貯蔵量 d. 炭素価格

cogeneration （ ）
a. 電圧変動 b. 系統制約
c. 熱電併給 d. 超伝導

2. 次の単語について、正しい英語を選びなさい。

エネルギー強度 （ ）
a. energy security b. energy poverty
c. energy intensity d. energy efficiancy

信頼できる （ ）
a. affordable b. reliable
c. sustainable d. variable

熱エネルギー （ ）
a. kinetic energy b. electrical energy
c. thermal energy d. mordern energy

3. 次の単語に当てはまる英語を記入しなさい。

化石燃料 （ ）
最終エネルギー消費 （ ）
停電 （ ）

4. 次の英単語の意味を、日本語で答えなさい。

affordable （ ）
CCUS （ ）
peak shaving （ ）

5. 次の英文を読んで、それが説明している英単語を選びなさい。

(A) such as electricity and natural gas are more efficient and safer than traditional biomass energy.
A（ ）

(B) is the efficiency of energy from the perspective of producing economic value.
B（ ）

(C) is a form of demand response that shifts the time of electricity consumption away from the time when electricity demands get peak.
C（ ）

解答と解説の掲載ページです。

知識問題は選択肢形式・単語記述形式の問題です。
思考問題は自由記述形式の問題です。

Exercise 解答・解説

Exercise の解答と解説を掲載しています。
解説を読んでさらなる知識定着につなげてください。

エクササイズの出題部分のページです。

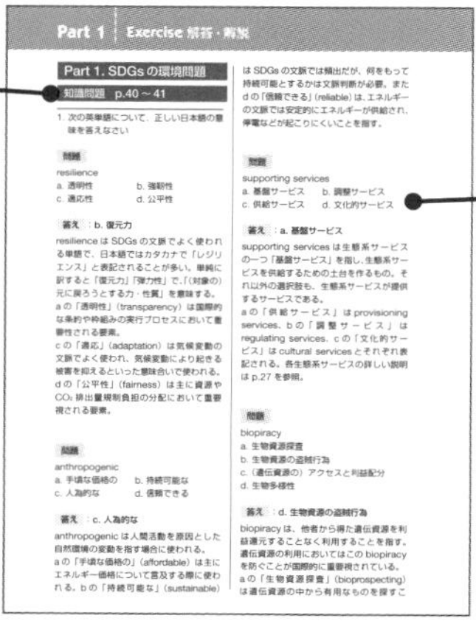
Part 1 Exercise 解答・解説

Part 1. SDGs の環境問題

知識問題 p.40 ～ 41

1. 次の英単語について、正しい日本語の意味を答えなさい

問題
resilience
a. 透明性 b. 強靭性
c. 適応性 d. 公平性

答え ：b. 復元力

resilience は SDGs の文脈でよく使われる単語で、日本語ではカタカナで「レジリエンス」と表記されることが多い。単純に訳すると「復元力」「弾力性」で、「(対象の)元に戻ろうとする力・性質」を意味する。
a の「透明性」(transparency) は国際的な条約や枠組みの実行プロセスにおいて重要視される要素。
c の「適応」(adaptation) は気候変動の文脈でよく使われ、気候変動により起きる被害を抑えるといった意味合いで使われる。
d の「公平性」(fairness) は主に資源や CO_2 排出量規制負担の分配において重要視される要素。

問題
anthropogenic
a. 手頃な価格の b. 持続可能な
c. 人為的な d. 信頼できる

答え ：c. 人為的な

anthropogenic は人間活動を原因とした自然環境の変動を指す場合に使われる。
a の「手頃な価格の」(affordable) は主にエネルギー価格について言及する際に使われる。b の「持続可能な」(sustainable) は SDGs の文脈では頻出だが、何をもって持続可能とするかは文脈判断が必要。また d の「信頼できる」(reliable) は、エネルギーの文脈では安定的にエネルギーが供給され、停電などが起こりにくいことを指す。

問題
supporting services
a. 基盤サービス b. 調整サービス
c. 供給サービス d. 文化的サービス

答え ：a. 基盤サービス

supporting services は生態系サービスの一つ「基盤サービス」を指し、生態系サービスを供給するための土台を作るもの。それ以外の選択肢も、生態系サービスが提供するサービスである。
a の「供給サービス」は provisioning services、b の「調整サービス」は regulating services、c の「文化的サービス」は cultural services とそれぞれ表記される。各生態系サービスの詳しい説明は p.27 を参照。

問題
biopiracy
a. 生物資源探査
b. 生物資源の盗賊行為
c. (遺伝資源の) アクセスと利益配分
d. 生物多様性

答え ：d. 生物資源の盗賊行為

biopiracy は、他者から得た遺伝資源を利益還元することなく利用することを指す。遺伝資源の利用においてはこの biopiracy を防ぐことが国際的に重要視されている。
a の「生物資源探査」(bioprospecting) は遺伝資源の中から有用なものを探すこ

エクササイズの問題とその解答、また問題に関する解説です。

電子版を使うには

本書購読者は
無料でご使用いただけます！
本書がそのままスマホでも
読めます。

**電子版ダウンロードには
クーポンコードが必要です**

詳しい手順は下記をご覧ください。
右下の QR コードからのアクセスも
可能です。

電子版：無料引き換えコード
d6ku

ブラウザベース（HTML5 形式）でご利用いただけます。

★クラウドサーカス社 ActiBook電子書籍です。

●対応機種

・PC（Windows/Mac）　・iOS（iPhone/iPad）
・Android（タブレット、スマートフォン）

電子版ご利用の手順

❶コスモピア・オンラインショップにアクセスしてください。（無料ですが、会員登録が必要です）
https://www.cosmopier.net/

❷ログイン後、カテゴリ「電子版」のサブカテゴリ「書籍」をクリックしてください。

❸本書タイトルをクリックし、「カートに入れる」をクリックしてください。

❹「カートへ進む」→「レジに進む」と進み、「ご注文手続き」画面へ。

❺「クーポン」欄に本ページにある無料引き換えコードを入力し、「確認する」をクリックしてください。

❻ 0 円になったのを確認して、「注文する」をクリックしてください。

❼ご注文を完了すると、「マイページ」に電子書籍が登録されます。

本書全体のテーマ解説

SDGsについて

SDGsは2015年9月の国連サミットで採択されたもので、正式には「Transforming Our World: the 2030 Agenda for Sustainable Development」（我々の世界を変革する：持続可能な開発のための2030アジェンダ）という文書として採択されたものだ。その文書の中に、SDGsと呼ばれる17の目標が記されている。

本書はそこで取り上げられる、さまざまな環境問題について解説する。

本書で取り上げる環境問題について

本書ではSDGsで取り上げられる環境問題を、以下のように大きく3種に分類して解説する。

気候変動 … 地球規模で起きている気象条件の変化とそれに伴う諸問題

生物多様性の損失 … 地球で生息する生物種やそのあり方の多様性損失

資源問題 … 地球上で採取・採掘される各種資源をめぐる問題

これら問題のそれぞれについて、またそれぞれ同士の関係性について解説していくのが本書の目的の一つだ。

関連する人間社会での問題と対策

また本書で解説する環境問題は、そのほとんどが人間社会の営みにより生じたものとされている。それゆえ環境問題の理解には、その原因となったり、環境問題が原因となって生じる人間社会の諸問題についてや、問題解決に向けた対策についても理解が必要だ。

それらの関連事項をエネルギーと経済・ものづくりの観点から解説し、環境問題との関係性を説明するのも本書の目的である。

SDGsを通して見えてくる環境問題

以上の通り、本書は環境問題と人間社会、その二つの組み合わせから見えてくる「SDGsと環境問題における課題」を解説していく。

Part 1ではSDGsで取り上げられる環境問題の2大テーマである気候変動と生物多様性の損失について解説する。特に気候変動は生物多様性の損失とエネルギー問題の両方に関わる大きなテーマだ。

Part 2では気候変動と大きな関わりを持つ、エネルギー問題について解説する。エネルギー問題も環境問題・社会問題・技術的制約などさまざまな論点が絡む、複雑なテーマだ。

Part 3では経済とものづくりをテーマに、資源問題やそれと関連する社会問題について解説する。グローバル経済が展開する現代において、サプライチェーンの過程で生じる諸問題やその対応策を理解しなければ、資源問題の全貌を把握することは難しいだろう。

私たちの暮らし

本書が持つ最後の目的は、以上さまざまな問題が私たちの生活に対してどのような関わりを持つのかを示すことにある。おどかすわけではないが、環境問題の多くは直接的にしろ間接的にしろ私たちの生活に影響を与えるものだ。また逆に、私たちの生活も環境問題に対してさまざまな影響を与えている。

各PartのSection 6、そして最後のPart 4では、それまで解説したことを踏まえて、私たちがふだんの生活でできることを紹介していく。

そうすることで本書で学んだことの定着につながるだけでなく、私たちと自然環境、そして世界とのつながりをより強く実感できるようになるだろう。

その実感をモチベーションに、さらなる英語学習を進めていってほしい。

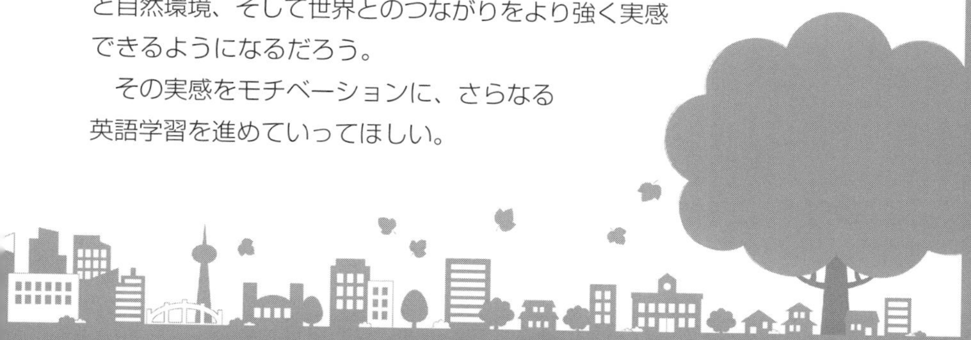

219.98

Part 1 Environment

SDGsと環境問題

注目される３つの環境問題

SDGsで対策が取り上げられている環境問題は大きく分けて「気候変動」「環境・生態系破壊」「資源枯渇」の３つ。人間活動により、産業革命以前と比較して多くの環境問題が人類を悩ませている。中でも気候変動への対策は、目標13として単独で取り上げられるほどの大きな問題である。

これら環境問題のおおもとを押さえることで、後に続く対策の意味・重要性が理解できるようになるはずだ。

画像：metamorworks /iStockphoto

気候変動と生物多様性損失、2つの大きな環境問題を理解しよう

SDGsで問題となる環境問題は大きく分けて3つ存在する。人間社会を取り巻く自然環境の問題として「気候変動」と「生物多様性の損失」、そして人間社会を営むために必要な資源に関係する「資源問題」の3つだ。どの問題も相互に関係するため、環境問題全体を理解するためにはこの3つをそれぞれ理解する必要がある。

このPartでは主にSDG13に関係する気候変動と、主にSDG14と15に関係する生物多様性の損失、この2つの問題と両者の関係性について解説する。資源問題についてはPart 2でまとめて解説する他、その他のPartでも気候変動と生物多様性損失との関連性について触れていく。

私たちが生活の土台としている自然環境で生じている問題を理解することで、その問題が私たちの生活にどう影響しているのか、なぜさまざまな環境対策が必要とされているのかが理解できるはずだ。

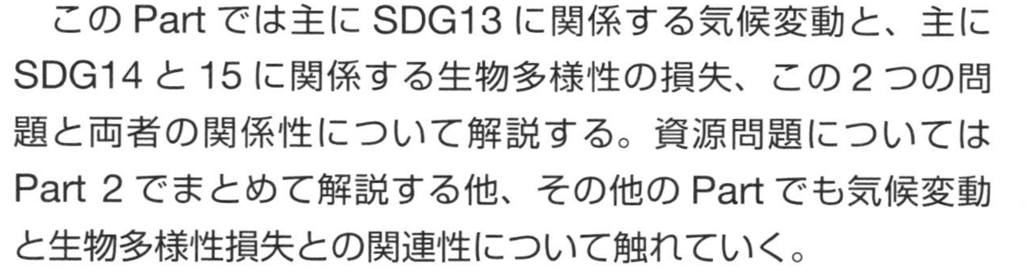

イラスト：MicrovOne/iStockphoto

気候変動と地球温暖化

文：有馬純（東京大学公共政策大学院特任教授）

SDGsの17目標の中で、地球環境と関連が深いのは以下の4つである。

SDG 6 すべての人々の水と衛生の**利用可能性（availability）**と**持続可能な管理（sustainable management）**を確保する

SDG 13 **気候変動及びその影響（climate change and its impacts）**を軽減するための**緊急対策（urgent action）**を講じる

SDG 14 持続可能な開発のために海洋・海洋資源を**保全し（conserve）**、持続可能な形で利用する

SDG 15 **陸域生態系（terrestrial ecosystems）**の保護、回復、持続可能な利用の推進、持続可能な森林の経営、**砂漠化（desertification）**への対処、ならびに**土地の劣化の阻止・回復（halt and reverse land degradation）**及び**生物多様性の損失（biodiversity loss）**を阻止する

日本語は外務省のSDGグローバル指標（https://www.mofa.go.jp/mofaj/gaiko/oda/sdgs/statistics/index.html）の各ページより引用。英語は編集部が挿入した。（以下同じ）

本稿では特に内外の関心が高いSDG13を取り上げたい。

諸問題を引き起こす地球温暖化

昨今、新聞を開いて「**気候変動（climate change）**」、「**地球温暖化（grobal warming）**」という言葉を見ない日はほとんどない。地球温暖化問題とは、地球規模で気温や海水温が上昇し、**氷河（glaciers）**や**氷床（ice sheet）**が縮小することを指す。

地球温暖化の進行に伴う影響は多岐にわたる。陸地では、**蒸発（evaporation）**や**降雨（precipitation）**といった**水の循環（water cycle）**が激しくなり、その結果、**洪水（floods）**が多発する地域がある一方、**渇水や干ばつ（drought）**に苦しむ地域が出るといったように水資源のバランスが崩れることが懸念される。

大気では、**対流圏（troposphere）**や**成層圏（stratosphere）**といった**大気圏（atmosphere）**の温度構造が変化することなどにより、オゾン層にも複雑な影響が及んだり、**光化学スモッグ（photochemical smog）**が発生しやすくなったりして、人の健康に影響を及ぼす可能性がある。

地球温暖化は氷河の融解や干ばつなど、さまざまな環境問題を引き起こす
（photo: Don Mennig/iStockphoto, piyaset/iStockphoto）

海では、海水の温度上昇による体積の増加、**氷河の融解（melting glaciers）**などにより**海面（sea level）**が上昇し、広大な面積の砂浜が**水没（submerge）**し、小島しょ国のように国土を失うリスクに晒される国が発生する可能性がある。

それ以外にも、**高山植物（alpine plants）**や気候の変化にうまく適応できない植物、トナカイやホッキョクグマ、アザラシなどの**極地（polar region）**周辺の動物が絶滅する恐れがあるなどの悪影響も指摘されている。

図 1-1. 地球温暖化の影響

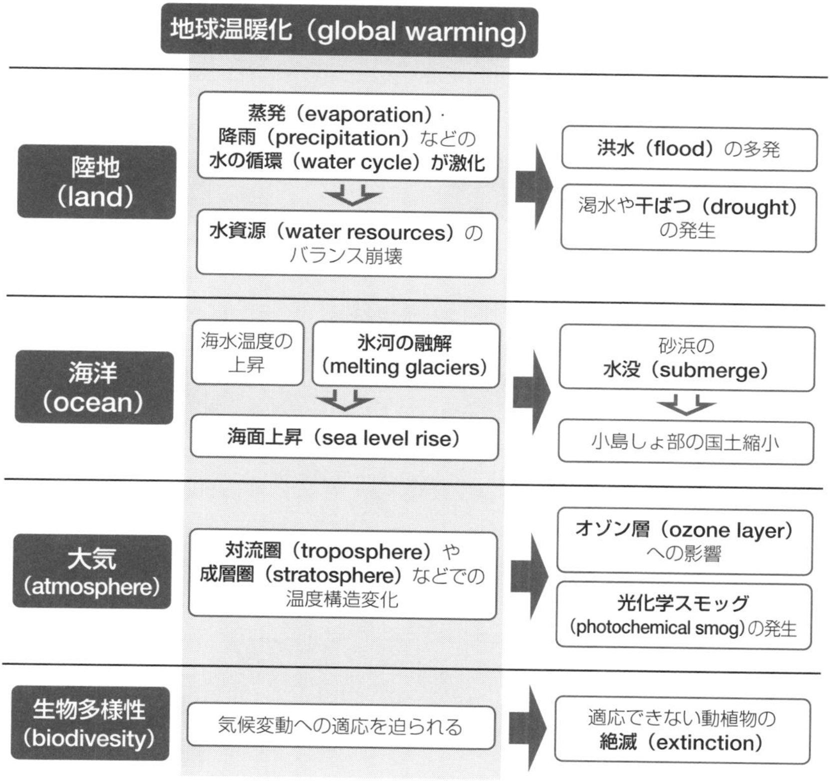

地球温暖化はなぜ起きるのか

地球温暖化の発生メカニズムには種々の学説があるが、気候変動問題の科学的知見を集めるために 1988 年に設立された**気候変動に関する政府間パネル（Intergovernmental Panel on Climate Change: IPCC）**の第五次評価報告書（2014 年）では、地球温暖化が人間の活動に起因する**温室効果ガス（Greenhouse Gas: GHG）**即ち **CO_2 (varbon dioxide)、メタン（methane)、亜酸化窒素（Nitrous Oxide: N_2O)、ハイドロフルオロカーボン（hydrofluorocarbon)** 等によって引き起こされている確率が極めて高い（95% 以上）としている。世界の温室効果ガスの 65% は化石燃料の生産・消費に由来する CO_2、11% が森林減少などによる CO_2、16% がメタンである。つまり温室効果ガス問題は、ほぼ CO_2 問題といっても過言ではない。

図 1-2. 温室効果ガスの内訳

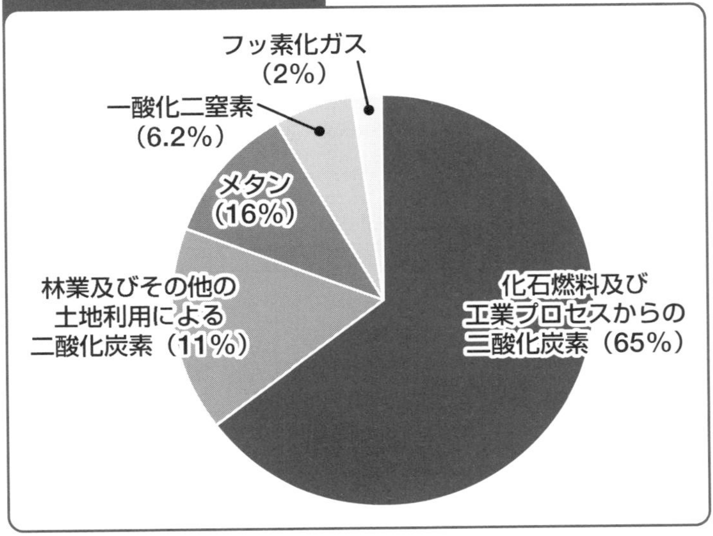

2018年の世界の温室効果ガス排出量は553億トンで、排出シェアの高い国・地域を順に並べると以下の通り。

順位	国・地域	温室効果ガス排出割合
1	中国	26.6%
2	アメリカ	12.9%
3	EU（欧州連合）28カ国	9.6%
4	インド	6.7%
5	ロシア	4.6%
6	日本	2.7%

表1-1. 世界の温室効果ガス排出割合ランキング

経済規模の大きい国々は、大量の温室効果ガスを排出し、地球温暖化の進行への寄与度が高い一方、貧しい途上国や島しょ国は、温室効果ガス排出量が極めて小さいにも関わらず、一次産業の収量減、海面上昇による国土消失のリスクなど、相対的に大きな被害を受ける。このため、地球温暖化問題に対処するためには、国際的な取り組みが必要であり、1990年代初頭以来、枠組み構築のための交渉が行われてきた。1992年には**国連気候変動枠組条約（United Nations Framework Convention on Climate Change: UNFCCC）**が採択され、2020年以降の枠組みとして枠組条約の下で採択されたのが**パリ協定（the Paris Agreement）**である。

Coincide の地球温暖化問題とエネルギー問題

CO_2 の大部分はエネルギーの生成、利用に伴って発生しているため、地球温暖化問題とエネルギー問題はコインの裏表の関係にある。

世界にはアフリカを筆頭にエネルギーアクセスを有していない人口が未だに 10 億人近く存在する。アフリカ等では牛糞、薪、炭等の**伝統的バイオマスエネルギー（traditional biomass energy）**が使われており、屋内で発生した煙による死亡率はマラリアや結核による死亡率よりも高いと言われている。エネルギー源をバイオマス燃料に依存する結果、**森林伐採（deforestation）**等の環境破壊をもたらすのみならず、女性や子供の労働負担が大きくなるなどの社会問題ももたらす。

より敷衍すれば、安価で安定的なエネルギー供給はあらゆる経済社会活動にとって血液のような存在である。このため、SDGs においてはエネルギーアクセスについても以下の目標を設定している。

SDG 7 すべての人々の、**安価（affordable）**かつ**信頼できる（reliable）**持続可能な近代的エネルギーへのアクセスを**確保（ensure）**する

世界のエネルギー消費は 1900 年から 2018 年にかけて 100 倍以上に拡大した。今後、発展途上国が経済発展をしていく中で、エネルギー需要も必然的に増大する。世界のエネルギー供給の約 8 割は化石燃料に依存しており、エネルギー需要の増大は温室効果ガスの増大にもつながる。このため SDG13 と SDG7 を両立させていくためには経済発展に伴うエネルギー消費の伸びの抑制（エネルギー効率の改善）と再生可能エネルギーを含む非化石エネルギーの拡大が必要となってくる。

生物多様性と生態系サービス

文：コスモピア編集部

複雑に絡み合う環境問題

SDGs で対象となっている環境問題は気候変動（SDG13）に限らない。環境や生物多様性の破壊（SDG14、15）、また資源枯渇（SDG6、12）も対策が必要とされている。これらの問題は、SDGs ではそれぞれ個別のターゲットで対策が目指されているが、実際には下図のように互いにさまざまな影響を与えている。

本節では環境問題の一つ、生物多様性の損失について解説する。

図 1-3. 各環境問題の関係性

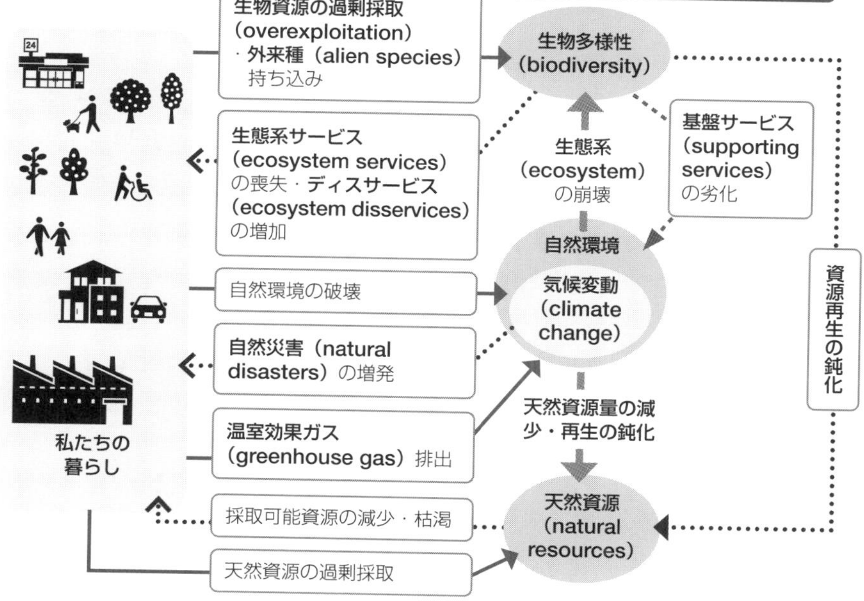

3つの階層で理解する生物多様性

生物多様性（biodiversity）は**生物的多様性**（biological diversity）から作られた造語で、地球上に存在する生物種や環境の種類・数の多さという広い範囲を指す。SDGsで用いられる生物多様性の考え方は**生物の多様性に関する条約**（Convention on Biological Diversity: CBD、**生物多様性条約**）の考え方を踏襲したもので、多くの場合、生物多様性を3種の多様性に分けて議論・対策が進められる。

種の多様性（species diversity）は、存在する生物の種類の多さ、そして数の多さを指す。ここでいう生物種は動物や昆虫だけでなく、木や草などの植物やきのこにカビといった菌類、また地中に存在するバクテリアなど、いわゆる生物とされるものすべてである。種の多様性だけを見ても、ふだん口にする食べ物の種類の多さから、多様な生物が存在することの恩恵を日常的に受けていることがわかる。

これら多様な生物が山や河川、海や平野などに生息し、さまざまな気候を影響を受けつつ森林や草原を形作り、その中で**捕食**(predation)や**共生**（symbiosis）などさまざまな関係を構築することで出来上がるのが**生態系**（ecosystem）である。スズメやハトが生息する都市や、サボテンやサソリが生息する砂漠も独自の生態系を保持している。このようにさまざまな形で存在する生態系の多さを指すのが**生態系の多様性**（ecosystem diversity）である。生態系の形態によってその中に存在する生物種が異なるため、種の多様性を維持するためにも生態系の多様性を維持することが重要であることがわかる。

また同様の生物種であっても、生息している場所によって発現する遺伝形質が異なる場合がある。リンゴやぶどうの味が産地によって違うのはこのせいだ（**遺伝子組み換え**〔genetic modification〕がなされている場合はこの限りではない）。生息地の変化などで発現している遺伝形質が異なるのは**自然選択（natural selection）**によるとするのが一般的な考え方だが、その発現しうる遺伝形質の多さを指すのが**遺伝的多様性（genetic diversity）**である。遺伝的多様性は、人間で言えば瞳の色や髪の色といった見た目に関わる部分の差異だけでなく、お酒を摂取した時に生じるアセトアルデヒドの分解能力など生理機能に関わる部分の差異にも表れる。これらの差異が生まれる可能性を持つことは、伝染病や害虫の発生といった環境変化に適応するための重要要素であるとされている。ある地域の遺伝的多様性が豊富なことは、そこでの種の多様性を保つことにもつながるのだ。

このように生物多様性を遺伝子、生物種、生態系それぞれ異なったレベルでの多様性として捉えることで、生物多様性保全の取り組みを理解することができる。

生物多様性により得られる恩恵

生物多様性の保全が進められるのは、生物多様性の豊富さにより人間社会がさまざまな恩恵を得られるからだ。そのような恩恵は一般に生態系サービスと呼ばれており、供給サービスと文化的サービス、調整サービス、そして基盤サービスの４種類に分けることができる。

供給サービス（provisioning services）は、米や野菜、果物、魚などの食べ物や、紙や建物の原料になる木材、水といった、人間社会の役立つ資源を提供することを指す。SDG1（貧困根絶）やSDG2（飢餓解消）、SDG6（水資源確保）など、多くのSDG達成に必要となるサービスである。また供給資源の一つである**遺伝資源（genetic resources）**は、医薬品開発や生物工学研究などの領域で新しい発見を得るための重要な資源となっている。

生物多様性はこういった物質的な恩恵だけでなく、**文化的サービス**

(cultural services) として美しい自然の景観やレクリエーション・観光の場、芸術的インスピレーションなど、文化的な恩恵も与えてくれる。このサービスは観光資源としても重要で、SDG14 や SDG15 では観光業発展の観点からの生物多様性保全も提唱している。

また、生物多様性保全のためには森林保護や河川・海の水質改善なども重要だが、そういった自然環境は**調整サービス（regulating services）**として自然災害から人間社会が受ける被害も軽減してくれる。森林の保水効果による土砂崩れや干ばつの防止、大気汚染物質の吸収、また**生物的防除（biological control）**による害虫の大量発生防止などがその例だ。また森林や海は二酸化炭素の吸収・固定も行うため、SDG13（気候変動緩和）の観点からも重要視されている。

最後の**基盤サービス（supporting services）**は、植物による酸素の供給や栄養の循環、土壌の形成など、生態系全体を維持するために必要となるサービスだ。この基盤サービスが森林伐採や土地利用改変などの原因で停止してしまうと、その土地の生態系が崩れ、生物多様性が失われることになるのだ。

このように、生物多様性の豊富さにより人間社会が得られる恩恵は多岐にわたり、その保全は SDGs 達成のために欠かすことができないものだ。この生態系サービスの経済価値を世界規模で見積もると、2011 年の推計では、年間 125 兆ドル（約 1 京 3,750 兆円）にもなるとされている。2020 年の世界 GDP が 84 兆ドル（約 9,240 兆円）、日本の 2021 年度予算案一般会計総額が約 106 兆円であることを考えると、その価値の大きさがよくわかるだろう。

生物多様性保全に向けたさらなる対策を

このように大きな恩恵を私たちへもたらしてくれる地球の豊かな生物多様性であるが、その保全はなかなか進んでいない。

SDGsで設定されている生物多様性保全に向けた取り組みの多くは、2010年の**第10回生物多様性条約締約国会議（CBD-COP10）**で採択された**生物多様性戦略計画2011-2020（Strategic Plan for Biodiversity 2011-2020）**の**愛知目標（Aichi target）**に由来する。

この愛知目標は2020年に達成の年限を迎えたが、CBDが発行した**地球規模生物多様性概況第5版（Global Biodiversity Outlook 5: GBO5）**では**none of the 20 targets have been fully achieved（20の目標のうち完全に達成されたものは一つとしてない）**とされた。先に述べた通り、生物多様性の保全は直接関係するSDG14やSDG15だけでなく、SDG1やSDG2といったそれ以外のSDGs達成でも重要となるため、保全のためのより確実性の高い枠組みが必要とされている。

2021年10月に中国で行われたCBD COP15 第一部では、愛知目標に続くものとして**ポスト2020生物多様性枠組（Post-2020 Biodiversity Framework）**が議題に取り上げられ、第二部での採択が**昆明宣言（Kunming Declaration）**で約束された。

新たな枠組みでは、より確実性を高めるための目標設定や新しい進捗管理・資金注入の体制が用意される見通しだ。これまで環境対策の主流は気候変動対策であったが、これからは生物多様性損失への対策もより重要になっていくと思われる。

Section 2 SDGsと環境問題 年表

環境問題が意識され始める	
1960年以前	1950：欧州 国際ライン汚染防止委員会が設置 1953：欧州 イギリス、北海の高潮で307人が死亡、テムズ・バリアが建設
1962	**世界 アメリカでレイチェル・カーソンの『沈黙の春』出版**
1967	欧州 スカンジナビアの酸性雨、ヨーロッパで排出される大気汚染物質が原因であることが明らかにされる
人間や生物への被害を中心とした環境対策が進み始める	
1970	世界 アメリカ環境保護庁発足　欧州 イギリス環境省発足 日本 「公害国会」（第64回臨時国会）開催
1971	世界 ラムサール条約（「特に水鳥の生息地として国際的に重要な湿地に関する条約」）採択 欧州 フランス環境省発足　日本 環境庁発足
1972	**世界 国連人間環境会議（ストックホルム会議）で人間環境宣言採択** **世界 国連環境計画（UNEP）発足** 日本 自然環境保全法
1973	世界 絶滅のおそれのある野生動植物の種の国際取引における条約採択 欧州 EC、環境行動計画策定 日本 自然環境保全基本方針
1974	世界 ローランド教授及びモリーナ博士、フロンガス（CFC）がオゾン層を破壊することを論文で発表　日本 自然保護憲章制定
1975	世界 ラムサール条約発効　世界 ワシントン条約発効
1976	欧州 ライン川化学汚染防止条約調印
1979	世界 長距離越境大気汚染条約採択　欧州 EC、鳥類指令採択
1980	世界 IUCN（国際自然保護連合）が、UNEP（国連環境計画）、WWF（世界自然保護基金）と共同で「世界環境保全戦略」発表：「持続可能な開発」（Sustainable Development）の概念が初めて公表される
1982	世界 ナイロビ宣言　世界 国連海洋法条約採択 世界 世界自然憲章が国連で決議

最初の地球規模環境問題、オゾンホールへの対策が始まる	
1984	世界 **南極オゾンホールの発見が報告される** 世界 環境と開発に関する世界委員会（ブルントラント委員会）発足
1985	世界 **「オゾン層の保護のためのウィーン条約」採択** 世界 フィラハ会議（オーストラリア）で地球温暖化がはじめて問題視される
1986	日本 環境保全長期構想 欧州 11月1日スイスのバーゼル郊外の薬品倉庫で火災が発生しライン川に有害物質が流れる
1987	世界 **ウィーン条約にもとづき、オゾン層を破壊する物質に関するモントリオール議定書採択**
1988	世界 気候変動に関する政府間パネル（IPCC）設立
1990	世界 オゾン層破壊物質として、フロンの全廃、四塩化炭素等の対象追加合意
1991	世界 環境保護に関する南極条約議定書
地球規模の問題に対する連携の開始	
1992	世界 **国連環境開発会議（地球サミット）開催、リオ宣言、気候変動枠組条約と生物多様性条約、アジェンダ21採択** 欧州 EC、生息地指令採択
1993	世界 国連持続可能な開発委員会第1回会合（ニューヨーク） 日本「環境基本法」成立
1994	欧州 欧州環境機関（EEA）設立
1995	世界 気候変動条約第1回締約国会議（UNFCCC-COP1）で議定書交渉が決定：ベルリン・マンデート 日本 生物多様性国家戦略策定
1996	世界 UNFCCC-COP2で議定書の効力を認める：ジュネーブ宣言
1997	世界 **UNFCCC-COP3で、京都議定書採択** 世界 生態系サービスの経済価値を見積もる論文 The value of the world's ecosystem services and natural capital が出される
1998	世界 UNFCCC-COP4で、ブエノスアイレス行動計画合意（京都議定書の詳細ルール）
1999	世界 国連防災機関（UNDRR）発足
2000	世界 **ニューヨークの国連ミレニアム・サミットでMDGs採択** 世界 バイオセーフティに関するカルタヘナ議定書採択 欧州 EU、水枠組み指令を採択

生物多様性保全に向けた動きが大きく広まる	
2001	**世界 ミレニアム開発目標（MDGs）が採択される** **世界 ミレニアム生態系評価の開始** 世界 UNFCCC-COP6（再開）でボン合意成立（ブエノスアイレス行動計画に対する政治的合意） 世界 UNFCCC-COP7 で、マラケシュ合意成立（ブエノスアイレス行動計画に対する国際法を文書化） 欧州 EU 指令で、加盟各国に対して 2004 年までに戦略的環境アセスメント（SEA）を法制化することを義務付け
2002	**世界 生物多様性条約第 6 回締結国会議（CBD-COP6）で 2010 年生物多様性目標が合意** 世界 世界植物保全戦略が採択　欧州 ヨーロッパ各地で大洪水 日本 新・生物多様性国家戦略策定
2003	世界 地球憲章採択　欧州 ヨーロッパに熱波到来、5 万 2 千人の死者
2005	世界 京都議定書発効　世界 ミレニアム生態系評価の完了
2007	世界「生態系と生物多様性の経済学（TEEB)」のプロジェクトが G8+ 環境大臣会議で提唱 日本 第三次生物多様性国家戦略策定
2008	欧州 EU、大気質枠組み指令、海洋戦略枠組み指令を採択 日本 生物多様性基本法成立
2009	**世界 プラネタリーバウンダリーの考え方が初めて提唱される** 世界 UNFCCC-COP15 でコペンハーゲン合意：地球の気温の上昇を 2℃以内に抑えることが合意される 欧州 EU 気候変動エネルギー政策パッケージ
2010	**世界 CBD-COP10 で生物多様性戦略計画 2011-2020 が合意、愛知目標が設定される** 世界 IPCC、気温上昇の原因を人間活動に起因する可能性が 90% と発表 日本 生物多様性国家戦略 2010 策定
2011	世界 国連生物多様性の 10 年（UNDB）開始
2012	**世界 生物多様性及び生態系サービスに関する政府間科学政策プラットフォーム（IPBES）設立** 日本 生物多様性国家戦略 2012-2020 策定 日本 環境報告ガイドライン更新
2014	世界 IPCC、気温上昇の原因を人間活動に起因する可能性が 95% と発表

気候変動対策に向けた動きが大きく強化される	
2015	世界 **国連サミットで SDGs 採択** 世界 **UNFCCC-COP21 でパリ協定採択**
2018	世界 **UNFCCC-COP24** でグレタ・トゥーンベリが初めて演説 世界 シャルルボワ G7 サミットで海洋プラスチック憲章採択 日本 第 5 次環境基本計画策定　日本 気候変動適応法施行
2019	欧州 **EU、欧州グリーンディールを発表** 世界 G20 大阪サミット開催、日本が大阪ブルーオーシャンビジョンを提唱 欧州 イギリス、カーボンニュートラルを法定目標化 欧州 EU 首脳、2030 年までに温室効果ガス排出量 55% 削減で合意
2020	世界 コロナウイルス大流行 世界 **地球規模生物多様性概況第 5 版（GBO5）公表** 欧州 EU、2030 年の温室効果ガス排出削減目標を 55% にする提案提出 日本 菅義偉首相、二酸化炭素排出ネットゼロを 2050 年までに達成することを宣言
2021	世界 気候変動リーダーズサミット開催 世界 **CBD-COP15 で昆明宣言採択**

SDG13 で見るべき指標

文：有馬純（東京大学公共政策大学院特任教授）

SDG13 では気候変動及びその影響を軽減するための緊急対策という大目的の下、以下の目標が設定されている。

13.1 すべての国々において、**気候関連災害（climate-related hazards）**や自然災害に対する**強靱性（resilience）**及び**適応の能力（adaptive capacity）**を強化する

13.2 **気候変動対策（climate change measures）**を国別の政策、戦略及び計画に盛り込む

13.3 **気候変動の緩和、適応、影響軽減（climate change mitigation, adaptation, impact reduction）**及び早期警戒に関する教育、啓発、人的能力及び制度機能を改善する

13.a **重要な緩和行動（meaningful mitigation actions）**の実施とその**実施における透明性確保（transparency on implementation）**に関する開発途上国のニーズに対応するため、2020 年までにあらゆる供給源から年間 1,000 億ドルを共同で動員するという、気候変動枠組条約の先進締約国による**公約を実施する（implement the commitment）**とともに、可能な限り速やかに資本を投入して緑の気候基金を本格始動させる

13.b **後発開発途上国（least developed countries: LDCs）**及び**小島しょ開発途上国（Small Island Developing States: SIDS）**において、女性や青年、地方及び**社会的に疎外されたコミュニティ（marginalized communities）**に焦点を当てることを含め、気候変動関連の効果的な計画策定と管理のための能力を向上するメカニズムを推進する

これらの進捗を測る**グローバル指標（global index）**としてあげられているのは、例えば以下のような指標である。

13.1.1 10万人当たりの**災害による（attributed to disasters）**死者数、行方不明者数、直接的負傷者数

13.1.2 **仙台防災枠組み2015-2030（the Sendai Framework for Disaster Risk Reduction 2015-2030）**に沿った国家レベルの防災戦略を採択し実行している国の数

13.1.3 **国家レベルの戦略に沿った（in line with national disaster risk reduction strategies）**地方レベルの防災戦略を策定している地方政府の割合

13.2.1 **国が決定する貢献（Nationally Determined Contributions: NDC）、長期戦略（long-term strategy）、国内適応計画（National Adaptation Plans: NAPs）**、適応報告書及び国別報告書で報告されている戦略を有する国の数

13.2.2 **年間温室効果ガス総排出量（total greenhouse gas emissions per year）**

13.a.1 2025年までの1,000億ドルコミットメントという**継続的な既存の集団動員目標（the continued existing collective mobilization goal）**に関連して、1年当たりに提供及び動員された金額

パリ協定での目標値

気候変動に関する国際枠組みとして2015年に採択されたパリ協定においては、地球全体の目標として「**地球の平均気温の産業革命以前からの上昇を2℃を十分下回る水準に抑え、1.5℃に抑えるよう努める(hold the increase in the global average temperature to well below 2℃ above pre-industrial levels and pursue efforts to limit the temperature increase to 1.5℃ above pre-industrial levels)**」ことを目指している。

この目標を達成するため、「**今世紀後半に温室効果ガスの人為的な発生源による排出量と森林などの吸収源による除去量との間の均衡(a balance between anthropogenic emissions by sources and removals by sinks of greenhouse gases in the second half of this century)**」を達成するべく、「**世界の温室効果ガス排出量ができるだけ早くピークに到達し(reach global peaking of greenhouse gas emissions as soon as possible)**」、「**その後、急速に低下する(undertake rapid reductions thereafter)**」ことを目指している。

パリ協定が温度上昇の抑制のため、世界の排出量の早期のピークアウト→減少を目指していることから、SDG13のグローバル指標の中で最も重視される指標は**世界全体及び各国の年間排出量(total greenhouse gas emissions per year、指標13.2.1)**である。この年間排出量については**国連気候変動枠組条約(United Nations Framework Convention on Climate Change)**に基づいて各国が算定・報告するデータが用いられる。

他方、途上国で経済発展をしながら温室効果ガスの増大を抑制し、また減少に転じさせるためには、先進国からの支援が不可欠であるとの観点から、グローバル指標の中で**途上国向けに動員される1年当たりの資金量（指標13.a.1）**を重視している。パリ協定では2020年までに先進国が途上国に対し、あらゆる供給源から年間1,000億ドルを動員するとされており、さらに2020年以降の新たな資金供与目標の交渉も開始される。世界の排出量の帰趨をにぎっているのは途上国であり、途上国の国別目標は先進国からの支援を条件にしているものが多い。途上国への資金供給が進まなければ途上国の国別目標の達成が困難となり、ひいてはパリ協定が目指す世界の排出量の早期のピークアウト→削減も困難となる。

2015年のパリ協定で、平均気温を産業革命以前から2℃以下に抑制するためのさまざまな目標が定められた。（photo: Arnaud Bouissou - MEDDE / cc-zero）

SDG7の関連指標

SDG13と密接な関連を有するSDG7では、2030年までに以下が目指されている。

7.1 2030年までに、**安価（affordable）**かつ信頼できる現代的エネルギーサービスへの**普遍的アクセスを確保（ensure universal access）**する。

7.2 2030年までに、**世界のエネルギーミックス（the global energy mix）**における再生可能エネルギーの割合を**大幅に（substantially）**拡大させる。

7.3 2030年までに、世界全体の**エネルギー効率（energy efficiency）**の改善率を**倍増（double）**させる。

7.a 2030年までに、再生可能エネルギー、エネルギー効率及び先進的かつ環境負荷の低い化石燃料技術などのクリーンエネルギーの研究及び技術への**アクセスを促進する（facilitate access）**ための国際協力を**強化（enhance）**し、**エネルギー関連インフラ（energy infrastructure）**とクリーンエネルギー技術への**投資を促進（promote investment）**する。

7.b 2030年までに、各々の支援プログラムに沿って開発途上国、特に後発開発途上国及び小島しょ開発途上国、**内陸開発途上国（Landlocked Developing Countries: LDCs）**のすべての人々に現代的で持続可能なエネルギーサービスを供給できるよう、インフラ拡大と技術向上を行う。

その進捗を図るためのグローバル指標としては、以下があげられている。

7.1.1 **電気を受電可能な人口（population with access to electricity）**の比率

7.1.2 家屋の空気を汚さない燃料や技術に**依存している（primary reliance on）**人口比率

7.2.1 **最終エネルギー消費量（total final energy consumption）**に占める再生可能エネルギー比率

7.3.1 **エネルギー強度（energy intensity**、GDP 当たりの一次エネルギー）

7.a.1 クリーンなエネルギー研究及び開発と、ハイブリッドシステムを含めた再生可能エネルギー生成への**支援に関する（in support of）**発展途上国に対する国際金融フロー

7.b.1 発展途上国に**設置された（installed）**再生可能エネルギー生産能力（1 人当たりのワット数）

エネルギーアクセスをすべての人に、という SDG7 の趣旨に照らせば、最も重要なグローバル指標は**電気を受電可能な人口比率（指標 7.1.1）**であり、世界銀行のデータが使用される。

また SDG13 が目指す気候変動防止と SDG7 が目指すエネルギーアクセス確保を両立させる観点での重要なグローバル指標は、**世界のエネルギーミックスに占める再生可能エネルギーの割合（指標 7.2.1）**と **GDP 当たりの一次エネルギー消費（指標 7.3.1）**である。世界のエネルギーミックスに占める再生可能エネルギーのシェアが高まり、GDP 当たりの一次エネルギー消費が低下すれば、経済発展に伴う温室効果ガスの排出を抑制・減少させることが可能になるからである。

Exercise 知識問題 SDGsと環境問題

1. 以下の英単語について、最も適した日本語訳をａ～ｄの中から選べ。

resilience （　　）

a. 透明性　　b. 復元力

c. 適応性　　d. 公平性

anthropogenic （　　）

a. 手頃な価格の　　b. 持続可能な

c. 人為的な　　d. 信頼できる

supporting services （　　）

a. 基盤サービス　　b. 調整サービス

c. 供給サービス　　d. 文化的サービス

biopiracy （　　）

a. 生物資源探査　　b. 生物資源の盗賊行為

c.（遺伝資源の）アクセスと利益配分　　d. 生物多様性

2. 以下の単語について、最も適した英語訳をａ～ｄの中から選べ。

国連気候変動枠組条約 （　　）

a. UNFCCC　　b. UNICEF

c. UNDRR　　d. UNEP

（施策などの）実施 （　　）

a. implementation　　b. commitment

c. contribution　　d. mobilization

遺伝的多様性 （　　）

a. biological diversity　　b. ecosystem diversity

c. species diversity　　d. genetic diversity

生態系サービスへの支払い （　　）

a. KBA　　b. CBD

c. PES　　d. TEEB

3. 以下の単語に当てはまる英語訳を（　）内に記入せよ。

気候変動に関する政府間パネル（　　　　　　　　　　）

透明性（　　　　　　　　　　）

遺伝子組み換え（　　　　　　　　　　）

侵略的外来種（　　　　　　　　　　）

4. 以下の英単語の意味を、（　）内に日本語で記入せよ。

precipitation（　　　　　　）

mitigation（　　　　　　）

biological control（　　　　　　）

indigenous peoples（　　　　　　）

5. 以下の文章内の（　）に当てはまる単語を記入せよ。

(　A　) is the way to cope with climate change by reducing the damage from natural disasters caused by climate change.

A (　　　　　　　　　　)

(　B　) are among the services provided by ecosystems, which produce natural resources that are useful to human society.

B (　　　　　　　　　　)

(　C　) is a form of land use change, or environmental destruction, that disrupts local ecosystems and reduces carbon sinks by clearing natural forests.

C (　　　　　　　　　　)

温暖化防止だけではないSDGs

文：有馬純（東京大学公共政策大学院特任教授）

気候変動への対策はどれだけ優先されるのか？

SDGsは全会一致で採択されたものであるが、すべての国に受け入れ可能なものとするため必然的に総花的なものになっており、目標間の優先順位を定めていない。SDGsで掲げられた目標を達成するためにはそれぞれ資金的・人的リソースを必要とする。しかし各国のリソースに限りがある以上、国情に応じて優先順位を決めねばならない。

国連が行っている「マイ・ワールド2030」というアンケート調査があり、これまで世界50万人以上の人が「17の持続可能目標のうち、自分にとって重要なものを5つまであげてください」との問いに答えている。世界全体で見ると、優先順位の第1位が教育（SDG4）、第2位が保健・福祉（SDG3）、第3位が雇用（SDG8）で、気候変動（SDG13）は第9位である。国別に気候変動の優先順位を見ると、スウェーデンでは圧倒的に第1位だが、インドネシアやナイジェリアでは第9位、中国では第15位となっている。

一人当たり所得が世界で最も高いスウェーデンでは、気候変動のようなグローバルな課題への関心が強く、一人か当たり所得がまだ低い途上国では、貧困撲滅や教育充実、雇用確保、保健衛生などが喫緊の課題になっていることがわかる。これらの課題に対応するためには**安定的で手頃な価格のエネルギー供給（secure and affordable**

energy supply）に支えられた経済成長が不可欠となる。

2019年9月の国連総会においてスウェーデンの環境活動家グレタ・トゥーンベリは以下のように演説した。

人々は苦しんでいます。人々は死んでいます。エコシステム全体が崩壊しつつあります。我々は大量絶滅のはじまりにいるのです。なのにあなた方が話すことはお金や永遠に続く経済成長といったおとぎ話ばかり。よくそんなことが言えますね！

People are suffering. People are dying. Entire ecosystems are collapsing. We are in the beginning of a mass extinction, and all you can talk about is money and fairy tales of eternal economic growth. How dare you!

日本語は筆者訳、スピーチ英文は https://www.npr.org/2019/09/23/763452863/transcript-greta-thunbergs-speech-at-the-u-n-climate-action-summit より引用

スウェーデンのような豊かな国にとってはこれ以上の経済成長は不要かもしれないが、世界の大宗を占める途上国にとって経済成長は**「おとぎ話」（fairy tales）**ではなく、喫緊の課題である。

再生エネルギーは本当に良い点ばかり？

SDGsは目標相互間に**シナジー（synergy）**もあれば**トレードオフ（trade-off）**も存在する。SDG7とSDG13の関係を考えると、エネルギー効率の改善（ターゲット7.3）は温室効果ガスを削減（ターゲット13.2）するのみならず、エネルギー消費に充てられるリソースを軽減し、他の目的に振り向けることを可能にするものである。そのため、SDG13のみならず、他のSDGsに対してもポジティブな影響があると考えられる。また再生可能エネルギーのシェア拡大（ターゲ

ット7.2）は温室効果ガス削減（ターゲット13.2）に貢献することは明らかである。

他方、太陽光や風力等の**変動性再生可能エネルギー（Variable Renewable Energy: VRE）**は出力が天候に左右され、**出力変動（output fluctuation）**を吸収するための火力発電によるバックアップ運転、**蓄電池（battery storage）**、**送電網（electrical grid）**強化のコストも考慮するとエネルギーコストの上昇につながり、安価で信頼できるエネルギー供給（ターゲット7.1）とのトレードオフになってしまう可能性がある。

図1-4. SDGs間のトレードオフ

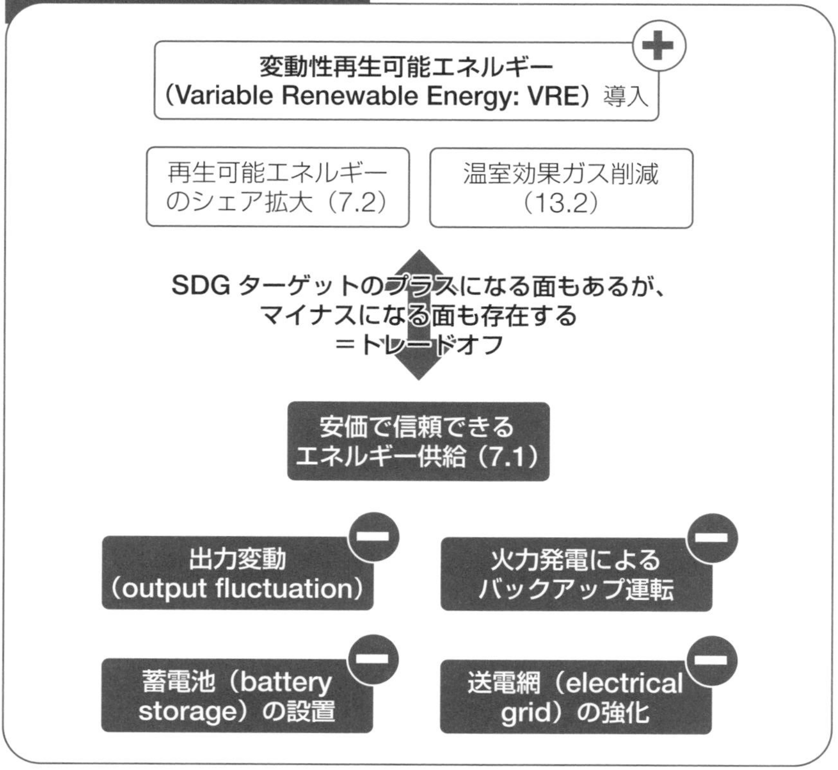

また、温暖化防止の重要性については誰一人否定するものはいないが、温暖化防止のために追加的にどれだけ**支払う意志（willingness to pay）**があるかということになると問題は複雑である。2019年にパリで発生したイエローベスト運動は、温暖化防止のための**炭素税（carbon tax）**引き上げによる燃料価格の上昇に反発したトラックドライバーのデモがきっかけとなった。アメリカでは山火事やハリケーンにより人々の温暖化問題への関心が高まっているが、温暖化防止のために毎月追加的に負担する用意のある金額で最も回答が多かったのは月1ドル（年間12ドル）であった。

国際エネルギー機関（International Energy Agency: IEA）の分析では、1.5℃の目標を達成するためには、先進国で2025年時点で**炭素価格（carbon price）**を一人当たり78ドル負担する必要がある。アメリカの場合は、一人当たりCO_2排出量から負担すべき金額を計算すると、年間約1,200ドルとなる（先の最多回答の100倍）。このように、豊かな先進国においてすら人々の支払い意志が1.5℃目標達成水準を大幅に下回っているのであるから、貧しい途上国における支払い意志はさらに低くなる。

SDG7は「すべての人の安価かつ信頼できる持続可能な近代的エネルギーへのアクセス」を目指しているが、**安価である（affordable）**ことの重要性は途上国において非常に大きい。変動性再生可能エネルギー導入によるエネルギーコストのさらなる上昇は経済成長への足枷要因となり、貧困（SDG1）・教育（SDG4）・雇用（SDG8）・保健衛生（SDG3・6）等に必要なリソース確保を難しくするため、他のSDGとのトレードオフにもつながる。

またエネルギーコスト以外に起因するトレードオフもある。例えばメガソーラーの開発のために森林伐採が行われたり、風車によって野鳥が殺傷された場合、SDG15に掲げられた持続可能な森林経営や陸域生態系の保護とのトレードオフが生じてしまうことになる。

石炭は本当に悪なのか？

SDG7 と SDG13 の相克を象徴するのが石炭の扱いである。**気候変動枠組条約締約国会議（Conference of the Parties to the United Nations Framework Convention on Climate Change: COP-FCCC、一般的に呼ばれる「COP」はこちら）**等では、温暖化防止を至高の目的として重視する結果、**石炭フェーズアウト（coal phase-out）**が強く推奨されている。石炭は化石燃料の中で最も**CO_2 強度（carbon intensity）**が高く、温暖化防止の観点からは一刻も早く世界における石炭利用を停止することが望ましいことになる。

他方、中国、インド等においては発電電力量構成における石炭火力のシェアが 7 ～ 8 割を占めている。加えて世界には**電力へのアクセス（electricity access）**を有していない人口が 10 億人いる。先進国において**エネルギー転換（energy transition）**とは**化石燃料（fossil fuel）**から再生可能エネルギー等の**非化石エネルギー（non-fossil energy）**への転換を意味するが、貧しい途上国におけるエネルギー転換は牛糞、薪、炭等の伝統的バイオマスから電力への転換である。

2000 年から 2015 年にかけて新たに電力アクセスを得た 1.2 億人の半分近くは石炭火力からの電力供給を受けている。石炭は化石燃料の中でも資源量が最も潤沢であり、低廉な供給が可能であることから今後、エネルギー需要が急増するアジア地域においては石炭火力の果たす役割は引き続き大きい。このため当面は**高効率、低排出石炭火力技術（High-Efficiency, Low-Emissions Coal-Fired Power Generation）**が必要であり、SDG7 のターゲット 7.a においては「先進的かつ環境負荷の低い化石燃料技術」も「クリーンエネルギー」とされている。しかし先に述べたのように、SDG13 を重視する立場からは石炭は排除されるべきエネルギー源となる。

温暖化問題を重視するアメリカのバイデン政権の誕生により、欧米先進国は温暖化アジェンダを強力に推進している。英国が議長を務める2021年6月のG7サミットにおいては、2030年代の石炭フェーズアウト、途上国に対する石炭火力技術輸出への政府支援の停止等が盛り込まれた。英国はCOP26の議長国であり、G7で野心的な方向性を打ち出してイタリアが議長を務める翌月のG20への念押しとすることを企図していた。しかしG20気候変動・エネルギー大臣会合ではインド、インドネシア、南アフリカ等の反対により、石炭利用をフェーズアウトするような文言は一切含まれなかった。SDG7とSDG13をめぐる先進国と途上国のプライオリティの違いを象徴する事例だったと言える。

石炭は化石燃料の中でもCO_2強度が高く、SDG13達成の観点からは早急な利用停止が望まれるが、資源量が潤沢なことから発展途上国においてはSDG7達成につながる安価なエネルギー供給源となる。「環境に悪いから」だけで止められるものではない。
(photo: iStockphoto/Максим Шмаков)

より広い視点からの環境対策を

SDG13で掲げられた温暖化防止に息長く取り組むためには温暖化対策の策定・実施に**費用便益分析（cost benefit analysis）**の考え方を取り入れることが重要である。

スウェーデンの経済学者ビョルン・ロンボルクは以下のように述べている。

> 気候変動のコストが喧伝されているが、気候変動対策のコストは貧困層に悪影響を与える。**CO_2 排出は安定的で安価なエネルギー供給、それに支えられた食糧生産、冷暖房、交通の副産物**である。エネルギーアクセスを高価で不安定なエネルギーに限定すればコスト増と経済成長の減退を招く。
>
> 最も合理的なのは **CO_2 排出をある程度削減はするが、ゼロにしようとしないこと**だ。そのためにはトン当たり 20 ドル程度の炭素税を導入し、ゆっくりと引き上げていくのが最も良い。そのための**追加的なコストは GDP の 0.4% 程度**であり、温暖化防止による**便益**（被害の防止）**は 0.8% 程度**なので、合理的なディールであると言える。
>
> 他方、活動家が求めるように CO_2 を短期間の間にゼロにしようとすれば、**コストは世界の GDP の 3 ～ 4%** に達し、**得られる便益は 1% 程度**になってしまう。
>
> Bjørn Lomborg（2020）*False Alarm: How Climate Change Panic Costs Us Trillions, Hurts the Poor, and Fails to Fix the Planet* より筆者引用・翻訳。太字・改行は編集部。

もちろん現実はもっと複雑であり、各国レベルで費用便益分析を行った結果の総和が世界全体の費用便益の最適バランスになるわけではない。重要なことは温暖化防止を至高の価値として原理主義的対応をするのではなく、他の対策の費用対効果、他の政策目的とのシナジー、トレードオフを考えつつ、経済合理的に対応することである。

Section 5 SDGsと環境問題 キーワード

□ climate change

「気候変動」。人間の活動が直接的または間接的に引き起こした、数十年にわたる気温の変化とそれを原因としたさまざまな天候の変化を指す。

□ grobal warming

「地球温暖化」。人間の活動により地球の気温が上昇していること。1985年のフィラハ会議（オーストラリア）で初めて問題化された。

□ GHG

greenhouse gasの略称で、意味は「温室効果ガス」。地球温暖化の原因とされる気体。**CO_2（carbon dioxide、二酸化炭素）**だけでなく**メタン（methane）**や**一酸化二窒素（dinitrogen oxide）**などが含まれる。

□ CO_2 equivalent

「二酸化炭素換算量」。さまざまな温室効果ガスの排出量を、二酸化炭素を基準とした**地球温暖化係数（Global Warming Potential: GWP）**で掛けて算出した際の排出量。単位はt-CO_2eqなどと表される。及ぼす温室効果が異なる気体を比較するために用いられる。

□ water cycle

「水循環」。水が地球上を循環するサイクルを指す。地球温暖化によりこの循環サイクルが崩れることで、豪雨や渇水などさまざまな異常気象を引き起こす。hydrological cycleとも。

□ sea level change

「海水準変動」。海水面の変化、多くは上昇を指す。地球温暖化による海水の熱膨張と、南極の**氷床（ice sheet）**融解が原因とされる。海岸侵食による生態系の変化だけでなく、海抜の低い国家では国土の水没が危惧されている。

□ regime shift

「レジームシフト」。気候や生態系の安定状態が、従来とは異なる形へ恒久的に変化してしまうこと。

□ IPCC

Intergovernmental Panel on Climate Changeの略称で、意味は「気候変動に関する政府間パネル」。1998年に設立された、気候変動やその影響・対策について、世界中の論文を元に科学的な見地から評価を行う国際機関。数年ごとに作成される評価報告書は、各国・各国間の気候変動対策の根拠として用いられる。2021年から2022年にかけて、第6次評価報告書が作られている。

□ UNFCCC

United Nations Framework Convention on Climate Changeの略称で、意味は「気候変動に関する国際連合枠組条約」、もしくは「国連気候変動枠組条約」。1992年の環境と開発に関する国際連合会議（UNCED）で採択された、地球温暖化対策の世界的な枠組みを定める条約。1994年に発効した（日本は1993年批准）。この条約に署名した国家間の会議をCOP（締約国会議）と通常呼称する。

□ UNCED

United Nations Conference on Environment and Developmentの略称で、意味は「環境と開発に関する国際連合会議」、もしくは「地球サミット」。1992年にブラジルのリオ・デ・ジャネイロで開催された国際会議。アジェンダ21や気候変動枠組条約、生物多様性条約など5つの文書が採択された。

□ Kyoto Protocol

「京都議定書」。1997年のUNFCCC-COP3で採択された国際条約で、初めて具体的なCO_2排出削減義務が定められた。先進国を対象に、2008年から2012年まで（第一約束期間）の排出量削減義務を定めた。さまざまな要因から第二約束期間の交渉がまとまらず、代わりにパリ協定が結ばれた。

□ Paris Agreement

「パリ協定」。2015年のUNFCCC-COP21で採択された国際枠組み。産業革命以前と比較した世界平均気温の上昇を、2℃より低く抑えることが合意された。京都議定書と異なる点として、すべての参加国に排出削減義務が求められたこと、また排出削減の目標を自主的に設定する方式が採用されたことなどがあげられる。

□ transparency

「透明性」。制度運用や組織運営の内容が外部から確認できること。国際的な排出量規制や遺伝資源の利益配分などでは、その意思決定プロセスや決定基準が公開されており、客観的に合理的であることが求められる。

□ NDC

Nationally Determined Contributionの略称で、意味は「国別目標」、もしくは「国が決定する貢献」。CO_2排出削減目標について、各国が自主的に定めた目標。パリ協定ではこの国別目標を5年ごとに見直すことが求められている。

□ mitigation

「（気候変動の）緩和」。CO_2排出量の削減により気候変動の進行を抑えることを指す。パリ協定は気候変動の緩和に向けた、世界的な取り組みの一つと言える。

□ adaptation

「（気候変動への）適応」。地球温暖化を起因として生じるさまざまな自然災害の被害を、防災対策などで抑えることを指す。**仙台防災枠組み 2015-2030（Sendai Framework for Disaster Risk Reduction 2015-2030）**は、気候変動適応に向けた世界的な取り組みの一つと言える。

□ resilience

「強靱性」。もともとは困難な状況から回復する力を指す。気候変動の文脈では、被災後の立ち直りの早さを意味する。また生物多様性の文脈では、生態系が台風や自然発火などで被害を受けた際の回復力を意味する。

□ developing countries

「開発途上国」。国内経済や生活インフラなどが成長の途中にある国家を指す。発展度合いや国の場所によって、**後発開発途上国（Least Developed Countries: LDCs）**、**内陸開発途上国（landlocked developing countries）**、**小島しょ開発途上国（Small Island Developing States: SIDS）**などの呼び分けが行われることがある。

□ north-south divide

「南北問題」。先進国と開発途上国間の格差を指す。温室効果ガス排出削減においては過去の温室効果ガス排出量の不均衡が問題視され、**「共通だが差異ある責任」（common but differentiated responsibility）**として先進国がより積極的に排出削減を進めるべきとされた。また生物多様性の文脈では、遺伝資源利用による利益配分の不均衡を指す。

□ CBD

Convention on Biological Diversityの略称で、意味は「生物の多様性に関する条約」、もしくは「生物多様性条約」。1992年の環境と開発に関する国際連合会議で採択された、生物多様性の扱いに関する世界的な枠組みを定める条約。生物多様性の保全だけでなく、そこから得られるさまざまな資源の利用も条約の対象となる。

□ Aichi targets

「愛知目標」。2010年の第10回生物多様性条約締約国会議（CBD-COP10）で採択された、生物多様性の保全に向けた目標。生物多様性の保全だけでなく、重要性の認知や保全を進めるための体制作りなど、20の目標が定められた。

□ IPBES

Intergovernmental Science-Policy Platform on Biodiversity and Ecosystem Servicesの略称で、意味は「生物多様性及び生態系サービスに関する政府間科学政策プラットフォーム」。2012年に設立された、生物多様性の現状や損失への対策について世界中の論文を元に科学的な見地から政策の提言を行う国際機関。世界各地域の生物多様性評価レポートを発行している。2019年には、2005年の**ミレニアム生態系評価（Millennium Ecosystem Assessment: MA）**以来となる世界規模の生態系評価報告書、Global Assessment Report on Biodiversity and Ecosystem Servicesを作成した。

□ Leaders Pledge for Nature

「（リーダーによる）自然への誓約」。2020年9月の国連生物多様性サミットで採択された、生物多様性回復に向けた行動を約束するアジェンダ。生物多様性損失と気候変動の対策を一体として捉えることや、ポスト2020生物多様性枠組の完全な実施、持続可能な生産と消費への移行などが宣言されている。日本は2021年に批准した。

□ ecosystem

「生態系」。さまざまな動植物が、山や河川、海といった自然環境の中で種々の関係を構築することで形成されるシステム。山や森林、陸上の生態系ならば**陸域生態系（terrestrial ecosystems）**、海洋や川、湿地の生態系ならば**水圏生態系（aquatic ecosystems）**など、形成された環境に応じた呼び方が存在する。

□ ecosystem approach

「生態系アプローチ」。自然環境を管理・保全するに当たり、特定の動物や植物のみを対象とするのではなく、それらが生息する生態系全体をも対象としていく考え方。

□ ecosystem service

「生態系サービス」。生態系からもたらされる多種多様な恩恵を指し、供給サービスや調整サービスなど、大きく4種類のサービスが存在する。生態系による二酸化炭素の吸収もこのサービスに含まれる。しかし生態系からは正のサービスだけでなく負のサービス（**ディスサービス〔disservice〕**）ももたらされることがあるため、IPBESでは**自然がもたらすもの（Nature's Contributions to People: NCP）**という語を使うこととしている。

□ PES

Payment for Ecosystem Services の略称で、意味は「生態系サービスへの支払い」。生態系サービスから得られる恩恵を経済的価値に換算し、サービスの受益者や森林開発者などに支払いを求める取り組み。支払われた金銭を生物多様性の保全に充てることが目指されている。

□ SEEA

System of Environmental-Economic Accounting の略称で、意味は「環境・経済統合勘定」。System of Integrated Environmental and Economic Accounting と表記する場合もある。1993 年に国連が勧告した国家勘定の体系。GDP などの経済指標は**国民経済計算体系（System of National Accounts: SNA）**により計算方法が定められているが、環境対策と経済の関係を経済指標に反映させるための案として SEEA が勧告された。この基準で算出された国内生産は**環境調整済国内純生産（Eco Domestic Product: EDP）**と呼ばれる。

□ TEEB

The Economics of Ecosystems and Biodiversity の略称で、意味は「生態系と生物多様性の経済学」。生物多様性や生態系サービスの価値を経済的価値で表し、さまざまな主体の意思決定にその価値を反映させることを目指した国際イニシアティブ。2007 年の G8+5 環境大臣会を受けて設立された。2010 年の最終報告書では、SEEA 導入の重要性が指摘されている。

□ carbon sink

「二酸化炭素吸収源」。森林や海洋といった、CO_2 を吸収する主体を指す。最初は森林が主な吸収源とされていたが、近年は海洋でも CO_2 が吸収されることがわかっている。

□ carbon stock

「炭素貯蔵量」。森林や海洋などで貯蔵された炭素の量を指す。陸上の木や海の海藻は光合成で二酸化炭素を吸収して成長することで、炭素をその生態系に貯蔵する。陸域生態系が貯蔵する炭素は**グリーンカーボン（green carbon）**、**海洋生態系（marine ecosystem）**が貯蔵する炭素は**ブルーカーボン（blue carbon）**と呼ばれる。

□ REDD

Reducing Emissions from Deforestation and Forest Degradation の略称で、意味は「森林減少・劣化からの温室効果ガス排出削減」。2013 年の UNFCC-COP19 で採択された、開発途上国による森林伐採の抑制に対して経済的なインセンティブを支払うことで、温室効果ガス排出量を削減しようとする枠組み。森林の保全も対象とする場合は REDD+ と呼ばれる。

□ disturbance

「(生態系の) 撹乱」。台風や山火事、森林開発といった外部要因により生態系が被害を受けること。生態系はある程度の撹乱ならば復元する力を備えているが、大規模な森林伐採などで極端な撹乱が生じた場合は復元する力が働かず、異なる形の生態系に変化するか、生態系が消失してしまう。

□ land use change

「土地利用変化」。**放牧** (grazing) や**森林伐採** (deforestation)、コンクリートによる**護岸** (revetment) など、人間活動による自然環境の変化を指す。

□ land degradation

「土地の劣化」。土地利用変化による森林の喪失や**砂漠化** (desertification)、土壌の**塩類集積** (salinization) などが起きること。IPBES(→*p.*52)によれば、32 億人が土地の劣化の影響を受けているとされる (2018 年現在)。

□ One Health

「ワンヘルス」。人間社会と自然生態系の健康をひと括りのものとする考え方。人間社会による自然破壊の結果、動物由来の感染症が増加したことから重要視されている。鳥インフルエンザや SARS (重症急性呼吸器症候群)、また新型コロナウイルス (COVID-19) などが動物由来感染症の例としてあげられる。

□ habitat

「生息地」。ある生物種が生息する地域。生物多様性保全の観点からは、生息域は広ければ広いほど良く、また飛び地のように分割されていないほうが良いとされる。

□ wildlife corridor

「野生生物の回廊」、もしくは「**緑の回廊** (green corridor)」。離れた生息域をつなぐ植物の道や水路などを指す。回廊で生息域をつなぐことで動物の生息域間の移動が可能となり、生存に必要な餌や、ストレスなく過ごすのに必要な面積を確保できるようになる。

□ biodiversity hotspots

「生物多様性ホットスポット」、もしくは単に「ホットスポット」。その地域固有の生物種が生息しているにも関わらず、環境破壊の危険にさらされている地域を指す。1,500 種以上の固有維管束植物 (種子植物、シダ類) が生息していること、そして原生植生の 70% が失われていることがホットスポットに指定される条件で、現在全世界で日本を含めた 36 の国・地域がホットスポットに指定されている。

□ ecotone

「エコトーン」、もしくは「推移帯」。森林や草原、河原や海など、異なる自然環境が接している地域。鳥やカエルなど異なる自然環境を行き来する生物種が多いため、生物多様性が豊富であることが多い。

□ KBA

Key Biodiversity Areaの略称で、意味は「生物多様性重要地域」。生物多様性保全のために重要となる地域。生息している生物種が絶滅の危機に瀕しているか（**脆弱性〔vulnerability〕**）、またその地域がある生物種にとってかけがえのないものかどうか（**非代替性〔irreplaceability〕**）が選定の基準となる。国際NGOのBirdLife Internationalが鳥類に対して設定していた**重要野鳥生息地（Important Bird Area: IBA）**を、他の生物種にも拡大して作られた。KBAの保護割合は、SDG15のターゲット15.2の指標でも用いられる。

□ 30by30

生物多様性の文脈では、地球表面積の30%を2030年までに保護することを目指す取り組みを指す。2019年にイギリスのGlobal Ocean Allianceが30by30 initiativeを発表したことに端を発した。UNFCCC事務局が2021年に発表したポスト2020生物多様性枠組1次ドラフトにはこれと整合する目標が盛り込まれている。2021年現在、65カ国が参加している。

□ conservation

「（生物種の）保全」。生物多様性保全のために、生態系に与える影響が大きい**キーストーン種（keystone species、中枢種）**や**絶滅危惧種（threatened species）**を保護することを指す。これらの種の保全はなるべく生息域内で行うこと（**生息域内保全〔in situ conservation〕**）が望ましいが、トキのように野生での絶滅リスクが高く、**生息域外保全（ex situ conservation）**をせざるを得ない場合がある。生息域外保全を行った場合は**野生復帰（rewilding）**は必要となる。

□ invasive alien species

「侵略的外来種」。生態系の外から入り込んだ**外来種（alien species）**のうち、その生態系に大きな影響を与えて生物多様性を脅かす生物種を指す。より厳しい環境で生息していた外来種が新しい環境に適応してしまった場合、相対的に脆弱な**在来種（native species）**を排除してしまうことが多い。

□ genetic resources

「遺伝資源」。現実の、もしくは潜在的な利用価値を持つ、生物の遺伝子情報やその情報を持つサンプル。薬効についての**伝統的知識（traditional knowledge）**も含む。植物の種や細胞組織といった生体サンプルの場合はgermplasmとも呼ばれる。

□ Nagoya Protocol

「名古屋議定書」。2010年のCBD-COP10で採択された、遺伝資源の**アクセスと利益配分（Access and Benefit-Sharing: ABS）**の実施手続きを定める議定書。これまでのボン・ガイドライン（2002年のCBD-COP6で採択）では任意だった遺伝資源利用の手続きを義務化し、法的拘束力を持たせた。日本は2017年に批准している。

□ ABS

Access and Benefit-Sharingの略称で、意味は「（遺伝資源の）アクセスと利益配分」。医薬品や遺伝子組み換え食品の開発などで高い経済的価値を持ちうる遺伝資源の、国際的な利用原則。生物多様性条約で遺伝資源への利用権が広く開放されたものの、それを用いて**生物資源探査（bioprospecting）**や開発研究を行えるのは先進国に限られるため、利益配分の平等性が求められていた。

□ indigenous peoples

「先住民」。遺伝資源の有効利用において、先住民は伝統的知識という形で生物資源の利用方法を知る存在である。先住民が持つ伝統的知識の権利を守るため、CBD（→ *p*.51）では伝統的知識も遺伝資源として保護している。

□ biopiracy

「生物資源の盗賊行為」。他者から得た遺伝資源を、利益還元することなく利用することを指す。企業が先住民族の伝統的知識を使って新たな薬効を持つ生物資源を発見し、許諾や補償の無いまま特許を取得してしまうことなどが問題とされている。

□ The Cartagena Protocol on Biosafety

「カルタヘナ議定書」。**生きている遺伝子組み換え生物（Living Modified Organism: LMO）**の輸出入ルールを定めた議定書。遺伝子組み換え生物の自然放出は生態系に悪影響を与える可能性が高く、生物多様性保全の観点から輸出入ルールが定められた。

1. 気候変動と生物多様性の損失はどのように関係するのか。「気候変動が生物多様性に与える影響」と「生物多様性の損失が気候変動に与える影響」のそれぞれについて、英語で説明せよ。
説明の際には、以下の語句を使用すること。

climate change / water cycle / biodiversity loss / ecosystem / carbon stocks

解答・解説は→ p.186 ～ 187

2. 気候変動（climate change）の解決と電力への普遍的アクセス（universal access）実現は、どういった形でトレードオフが発生するのか。この Part 1 の内容を踏まえて、例をあげつつ英語で説明せよ。

Section 6 SDGsと環境問題 **Part 1 まとめ**

複雑な環境問題の捉え方

文：コスモピア編集部

SDGs の環境問題は気候変動と生物多様性の損失から

気候変動は現在環境問題の中で集中的に対策が進められているものの一つだ。その背景には世界中で異常気象の頻度やその被害が増加していることがあげられる。IPCC（→ *p.*49）による報告書でも、人間活動による地球の平均気温上昇とそれに伴う自然災害による被害増加を予測しており、気候変動への適応が今後より重要になってくる。また気候変動は生物多様性や水資源のバランスを崩すことで私たちの生活にも悪影響を及ぼすため、持続可能な社会を迎えるためには気候変動への緩和も進めなければならない。

気候変動を引き起こす地球温暖化、そして地球温暖化の原因となる温室効果ガスは、その排出量の多くがエネルギーの生産、利用に起因する。そのためエネルギーの脱炭素化が気候変動緩和対策として重要な位置を占めるのだが、エネルギーの利用は経済成長や日常生活を支える重要な要素でもあるため、両者のバランスをまったく無視することはできない。再生可能エネルギーのトレードオフ要因は Part 2 で別途解説するが、気候変動とエネルギーはコインの裏表の関係にあることを常に念頭に置くべきである。

また気候変動とならんで重要な環境問題は生物多様性の損失である。生物多様性の損失は気候変動だけでなく森林破壊や過剰漁業など人間の活動によっても進行しており、一刻も早い対策が必要とされている。食料や観光資源、また遺伝資源など多様な資源を私たちにもたらしてくれる生物多様性の保全は、持続可能な社会を迎えるためには欠かせないものだ。また生態系による二酸化炭素の吸収や自然災害の被害軽減など、気候変動への適応・緩和の観点からも、生物多様性保全は重要となってくる。

近年生物多様性の重要性が再注目されつつある中、気候変動対策とならんで生物多様性保全の取り組みも拡大することが望まれる。

環境問題に対して私たちができること

気候変動や生物多様性の損失は、その規模の大きさ故に個々人が取り組めることも数多くある。それら取り組みの具体例は以降のPartであげるとして、ここではその取り組みを実行に移す前に問題を把握することの重要性を示しておきたい。

気候変動ならばIPCC、生物多様性保全ならばIPBES（→*p.*52）のように、環境問題については科学的な見地から提言を行う機関が存在している。これは対策を進めるにあたって、まず今の環境がどんな状態なのかを知り、どのような対策を打てば効果が出るかを検討することが重要だからだ。そしてIPCCやIPBESによる報告書は、実際の調査を行う場合もあるが、多くは世界中の科学者が発表した研究論文のレビューを行うことで作られている。データや知見を集めて予測モデルを作ることで、各国の環境政策立案に資するデータを提供しているのだ。

ここで提示したいのは科学万能主義ではない。IPCCについては外部から報告書の内容について疑義が提示されることもあれば、そもそも報告書内で各知見に対して確信の度合いや意見の一致度合いが示されるなど、内外ともに科学的知見に対して一定の限界が認められている。

むしろ重要なのは、その科学的態度である。もちろんIPCCやIPBESは提供する知見が各国内政策決定・各国間政治交渉で使用される都合上、報告書を作成するにあたって入念な準備が必要となる背景も存在する。しかし本書各所で解説するように、環境問題は決して一筋縄で解決できるような問題ではない。気候変動と生物多様性のように環境問題自体の複雑さもさることながら、それらの対策により生じる影響も相当に複雑なものである。特にSDGsでは環境問題だけでなく人権問題、社会問題の解決も目指しているため、エネルギーに限らず環境問題に付随する問題にも目を配る必要がある。*p.*45で述べたように、気候変動対策の結果自然環境が破壊された、といった事態は防がなければならない。

そのためにも、環境問題やその対策を見た際には「この対策をやるとどうなるのか、本当に環境問題の解決につながるのか」と一歩引いた上で自分が納得するまで調べてみる姿勢をぜひ持ってみてほしい。もちろん先に述べた通り、手に入る情報の質や量の制約から、そこで得られた知見には何かしらの限界が生じることは否めないだろう。

しかし複雑性を持った環境問題の前で何も調べずに行動するよりかは、見える範囲での調査を踏まえて行動したほうが、将来世代に残せるものが多くなるのではないだろうか。そして環境問題への向き合い方もまた変わってくるはずである。

Exercise　思考問題❷　SDGsと環境問題

1. 以下のどちらかの観点で、解決されていないと、もしくは悪化していると困る環境問題をひとつあげて、それを選んだ理由を具体例をまじえつつ英語で述べよ。

・30 年後の自分にとって、解決されていないと困るもの
・自分に子どもや孫ができた時に、解決されていないと困るもの

2. 以下のどちらかの観点で、自分にとって今の形のまま、あるいは今よりもっと良い形で残っていると嬉しい生態系サービス（→ *p.27*）の具体例をあげて、それを選んだ理由を英語で述べよ。

・30 年後の自分にとって、残っていると嬉しいもの　　・自分に子どもや孫ができた時に、残っていると嬉しいもの

Part 2

Energy

環境問題とエネルギー

エネルギーと環境問題の悩ましい関係

Part 1で解説した通り、環境問題とエネルギー問題はそれぞれ個別に解決することが難しい問題だ。一方の解決策が一方の問題悪化につながる可能性が高いため、どのように解決すべきかを理論的に決めるのは極めて難しい。またエネルギー問題には技術的な論点が多く、技術開発の背景にある問題意識の理解も必要となる。両者を理解することで、エネルギー分野における環境問題解決の方策が見えてくるはずだ。

photo: thebroker/iStockphoto

エネルギーに関する話題、「方針」と「技術」の2つを理解しよう

Part 1で見たように、SDG7のエネルギー問題はSDG13の気候変動と深く結びつく。そのためエネルギーの利用には「付随する環境問題にどう取り組むか」という方針に関する話題がついて回る。またエネルギーの利用はさまざまな技術的基盤の上に成り立っているため、「その取り組みをどの様に実現するか」といった技術的な話にも目を向ける必要がある。

このPart 2ではSDG7を中心にしたエネルギーに関する世界的な方針の話題と、その方針に沿って開発への注力がされている技術の話題について解説する。世界的なエネルギー利用の方針については、環境対策と普遍的エネルギーアクセス実現の両者をどう両立させていくかという機微を中心に解説する。またエネルギー関連技術については環境対策上の位置づけとその評価について解説する。

エネルギーに関する方針と技術、両者を理解することで、私たちの生活にどのような影響が生まれるかが明確に見えてくるはずだ。

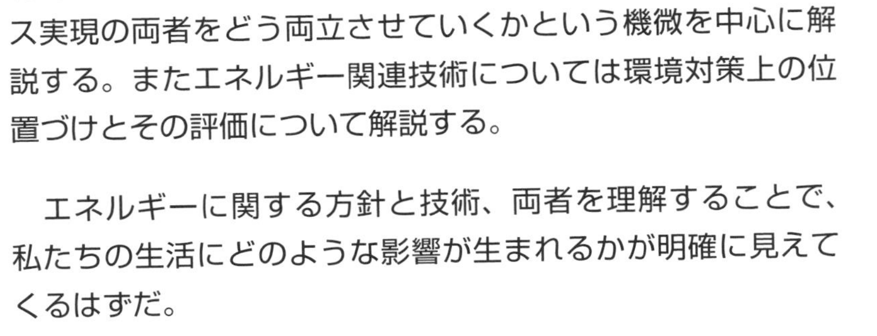

イラスト：cnythzl/iStockphoto

Section 1 環境問題とエネルギー テーマの解説

転換を迫られるエネルギー利用

文：沢田博（ジャーナリスト 『ニューズウィーク』日本版・元編集長）

告発状としてのSDGs

“We will not forgive, we will not forget. We will hunt you down and make you pay.”（許さない、忘れない。必ず追い詰め、代償を払わせる）

そう言ったのはアメリカのジョー・バイデン大統領。2021年8月26日午後、アフガニスタンの首都カブールの国際空港で起きた自爆テロを受け、実行犯への報復を誓った言葉だ。しかし実は今、世界中の子どもたちが、バイデンさんを含む「おとな」世代に同じ言葉を突きつけている。ここまで地球を痛めつけ、人類だけでなく多くの生命体にとって住みにくい場所に変えてしまった責任を取れ、その罪は絶対に許さないぞと。

SDGsは、2030年段階でも30歳に達しない「おとな未満」世代が、私たち（おとな）世代に突きつけた告発状でもある。もちろん国連の公式文書だから文言は抽象的で、目標を達成できなくても私たち（おとな）がいくらでも言い逃れできるように書かれている。目標未達の場合の罰則や制裁規定もない。しかし「おとな未満」世代（と地球上のすべての生物）は私たち（おとな）の言い逃れを決して「許さない、忘れない」だろう。

同じ8月に**UNICEF（国連児童基金）**が公表した**Children’s Climate Risk Index（子どもの気候危機リスク指数）**には、あのグレタ・トゥーンベリを初めとする**未来のための金曜日（Fridays for Future）**のメンバーの書いた序文が載っている。そこで彼女たちは「私たちの未来を壊し、私たちの権利を侵し、私たちの訴えを無視」し、「約束を守ろうとしない世界の指導者たち」を強く非難し、**“we cannot allow this injustices to continue”（この不正が続くことを私たちは許さない）**と宣言し、具体的に**“drastic action required to shift the economy away from fossil fuels”（化石燃料に手を出さない経済への転換に必要な徹底した行動）**を求めている。

今なお続く火力の利用

「化石燃料に手を出すな」。SDGs の目標 7 は、この一言に要約できる。正式の文言は**“Ensure access to affordable, reliable, sustainable and modern energy for all”（すべての人が安くて信頼でき、持続可能でモダンなエネルギーを使えるようにする）**であり、ユニセフ日本委員会が SDGs CLUB で用意した子ども（2030 年時点の「おとな未満」世代）向けの日本語訳では「すべての人が、安くて安全で現代的なエネルギーをずっと利用できるようにしよう」となっている。いずれにせよ **sustainable（持続可能な、SDGs CLUB 訳では「ずっと」）**の一語に「化石燃料に手を出すな」のメッセージが込められている。

なお、ここでの **modern energy** は電力を指す。人は昔から、火をエネルギー源として用いてきた。各国の神話に必ずと言っていいほど「火の神」がいるのはそのためである。つまり火力は、**traditional（伝統的）**であって modern ではない。しかし蒸気機関が発明されると、火力は汎用性のあるモダンな動力源に変身した。煮たり焼いたり溶かしたりするだけでなく、さまざまなモノを動かすエネルギー源になった。これにより**産業革命（industrial revolution）**が始まり、火を燃やし続けるために大量の石炭が掘り出され、使われるようになった。気候変動の元凶とされる二酸化炭素の人為的かつ過剰な **emission（排出）**の始まりである。

しかし、やはり火は扱いにくい。熱いし、危ない。なので火力を制御し、安全な動力源として使う**内燃機関（internal combustion engine**、エンジン）が発明される一方、火力を使って電力を生み出す火力発電などの**外燃機関（external combustion engine）**が始まった。結果、安全性でまさる電力が modern energy となり、火力は後景に退いたのだ。とはいえ過去の遺物となったわけではない。外燃機関は今も多くの国で発電の主役であり、モダンな顔の車や船、飛行機を動かすのは内燃機関。火力は今も現役なのだ。

火力は自動車のエンジン（内燃機関）や火力発電のタービン（外燃機関）など、未だ現役の動力である。（photo: ElcovaLana/iStockphoto, rmitsch/iStockphoto）

持続可能でなくとも、よりクリーンに

こういった現実があるため、SDGsでは火力（を用いた発電）を全否定していない。その点を明確に見て取れるのが、目標7で設定された以下5つのターゲットである。最初の3つが具体的なターゲットで、残りの2つはそこに至る道筋を示している。いずれにも「2030年までに」という前ふりがついている。

7.1 2030年までに、安価かつ信頼できる現代的エネルギーサービスへの普遍的アクセスを確保する。

7.2 2030年までに、世界のエネルギーミックスにおける再生可能エネルギーの割合を大幅に拡大させる。

7.3 2030年までに、世界全体のエネルギー効率の改善率を倍増させる。

7.a 2030年までに、再生可能エネルギー、エネルギー効率及び先進的かつ環境負荷の低い化石燃料技術などのクリーンエネルギーの研究及び技術へのアクセスを促進するための国際協力を強化し、エネルギー関連インフラとクリーンエネルギー技術への投資を促進する。

7.b 2030年までに、各々の支援プログラムに沿って開発途上国、特に後発開発途上国及び小島しょ開発途上国、内陸開発途上国のすべての人々に現代的で持続可能なエネルギーサービスを供給できるよう、インフラ拡大と技術向上を行う。

これらのターゲットについて注意すべき点が3つある。7.1で**“sustainable”（持続可能な）の文言が削除されている点**と、7.aで「今よりもクリーン」という条件つきながら**化石燃料の継続使用を認めている点**（7.aにはcleaner fossil-fuel technologyの記載がある）。そして目標7の各ターゲットをクリアする**責任はもっぱら政府と民間**

企業（ビジネス）にあるという点である。

SDGsには身近な目標も掲げられていて、そこでは私たち一人ひとりの努力（リサイクルへの協力から牛肉の消費を減らすことまで）が求められている。しかし電力供給網の整備や「今よりもクリーンな化石燃料技術」の開発は個人の責任範囲を越えている。目標7に関するかぎり、私たちにできるのは政府や企業の動きを監視することくらいなのだ。

またターゲット7.1で“sustainable”の文言を削ったのは、**「すべての人が日常的に電気を使える環境」の実現が最優先**で、そのためには持続可能性を犠牲にするのもやむを得ないと考えるからである。より具体的には、ある国で現に石炭火力発電が行われている場合、その停止までは求めないといったニュアンスだ。その代わり、7.aで化石燃料技術（つまり火力発電）を「今よりもクリーン」にする努力を求めている。日本政府はこれらを根拠に、石炭火力発電の効率を高める技術や、排出されるCO_2を回収する技術の輸出にこだわってきた。

SDG7において火力発電の利用自体は認められているが、ターゲット7.aでその利用をよりクリーンにすることが求められている。（photo: Thossaphol/iStockphoto）

CO_2排出量を減らすための エネルギー関連技術

文：コスモピア編集部

これまで見てきた通り、エネルギー問題と地球温暖化問題は切っても切り離せない問題である。「供給するエネルギーを増やすほど CO_2 排出量が増える」、このトレードオフの関係を克服するために、再生可能エネルギーを始めとしたさまざまな技術が開発されている。本節では、エネルギーと CO_2 排出量の関係を表した式を参考に、エネルギー産出にあたって排出される CO_2 の量を減らすための関連技術を紹介していく。

エネルギーと CO_2 排出量の関係式

経済の成長とエネルギー消費、そして CO_2 排出量の 3 者の関係を表した式、**茅恒等式（Kaya identity）**を紹介したい。日本の物理学者茅陽一氏が 1990 年に発表した、CO_2 排出量動向を世界規模で探るため排出の原因を要因別に分解した式である（図 2-1 参照）。

この式で注目してほしいのは、「CO_2 排出量（F）／エネルギー消費量（E）」（図 2-1 の A）と「エネルギー消費量（E）／ GDP（G）」（図 2-1 の B）の 2 点である。エネルギーに関していえば、この 2 点を削減することで CO_2 の排出量を減らすことができる。では、それぞれ削減するためのアプローチにはどのようなものがあるだろうか。

「エネルギー消費量／ GDP」はいわゆるエネルギー強度である。エネルギー強度を減らすためには、空調や照明器具といった電力を使用する機器の**エネルギー利用効率（energy efficiency）**を向上させる、また空調や照明器具をこまめにオフにするといった**エネルギーの節約（energy conservation）**が有効となる。

「CO_2 排出量／エネルギー消費量」は、いわゆる**炭素強度（carbon intensity、炭素集約度とも）**である。これを減らすためにはもちろん再生可能エネルギーといったそもそも CO_2 を排出しないエネルギーの導入が有効であるし、化石燃料のエネルギー効率向上による相対的な排出量削減といった手段も考えられる。また **CCS（CO_2 Capture and Storage、二酸化炭素回収・貯留）**や **CCUS（CO_2 Capture, Utilization and Storage、二酸化炭素回収・有効利用・貯留）**など、排出された CO_2 を回収するといった手段も考えられる。

図 2-1. 茅恒等式と CO_2 排出量削減方法

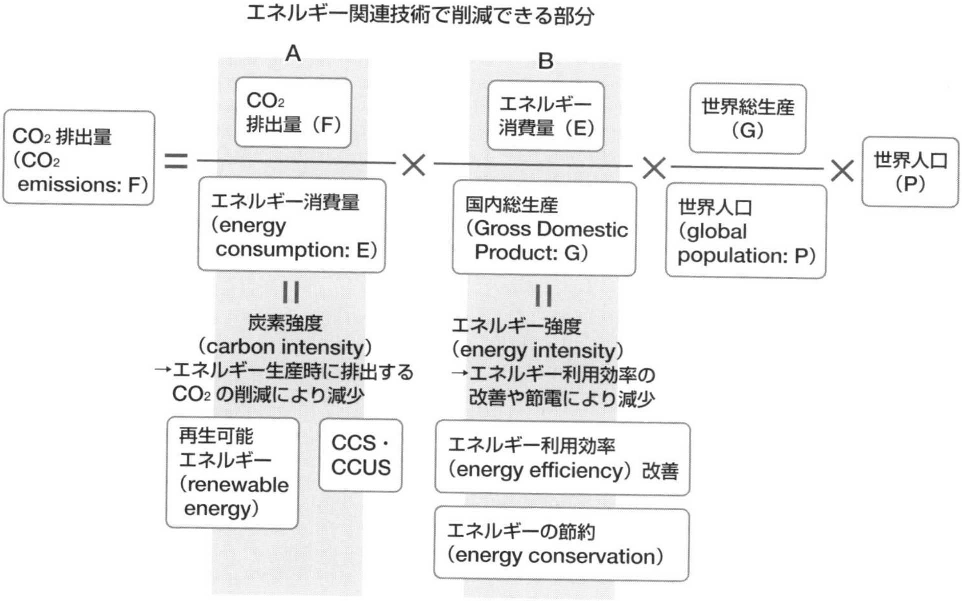

CO_2排出量削減アプローチ① エネルギー強度の削減

エネルギー強度の削減、わかりやすく言えば省エネは、SDGsの文脈では「こまめに照明の電気を消す」「エアコンの設定温度を適温に保つ」といった個々人の行動変容に依拠したアプローチが取り沙汰されることが多い。その理由としては、1985年のフィラハ会議（気候変動に関する科学的知見整理のための国際会議）で地球温暖化が大きく問題視されてから省エネ技術が進展していたことが大きい。1973年と1979年に起きたオイルショックは「エネルギー需要に対する供給が追いつかないかもしれない」といった危機感を与えた。

特に日本はエネルギー資源のほとんどを海外からの輸入に頼っていることから、1979年の「エネルギーの使用の合理化等に関する法律」（省エネ法）を始めとして国家全体で省エネが進められたこともあり、エネルギー強度は世界で見ても極めて低い。とはいえ省エネを意識しなくても良いわけではなく、むしろ個々人が意識して省エネを継続することで、現在のエネルギー強度を維持できると考えるのが良いだろう。

もちろん、個々人の行動変容以外にも省エネを進める方法はある。資源エネルギー庁が発行・公開しているエネルギー白書によれば、2019年度の世帯当たりの用途別エネルギー消費割合では暖房での消費が約25%、給湯での消費が約29%、照明やその他家電での消費が34%であった。それぞれの消費削減手段としては、住居の**断熱性（thermal insulation）**向上（暖房でのエネルギー消費削減）や省エネ性能に優れた給湯器の導入（給湯でのエネルギー消費削減）、LED照明の導入（照明での消費削減）などが該当する。

図 2-2. 世帯当たり用途別エネルギー消費割合

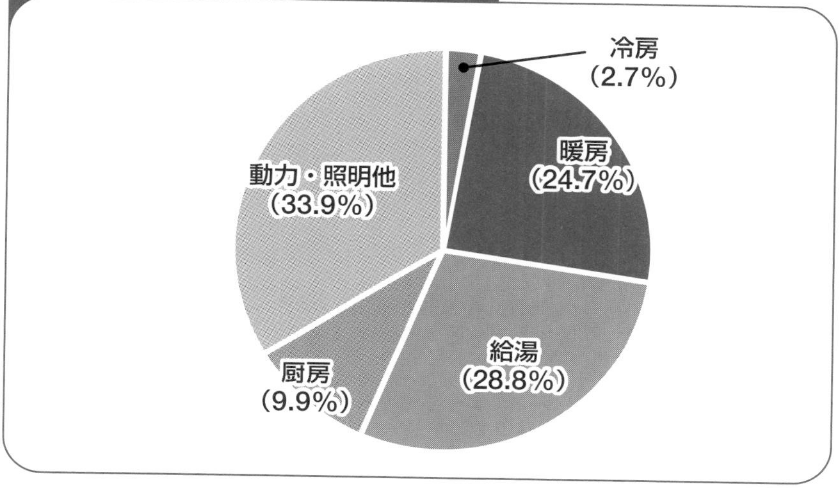

資源エネルギー庁作成・公開の『エネルギー白書 2021』「部門別エネルギー消費の動向」を元に作成

また同白書によれば、2019 年度の運輸部門、自家用車やトラックでの消費エネルギー量は全体の約 23% になる。**燃費（fuel economy）**の良い車に乗り換えるのも有効な手段だ。ただし CO_2 排出量削減の観点から言えば、電気自動車への乗り換えがより環境に優しいと言える。

CO_2 排出量削減アプローチ② 炭素強度の削減

エネルギーを利用（生成・消費）する際に生じる CO_2 排出量を削減するのにもさまざまなアプローチが考えられる。これらのアプローチはエネルギーの生成から消費までの各ポイントで適用されるものと考えるとわかりやすい。外燃機関で発電する火力発電と内燃機関で動く自動車、そして人力で動く自転車の 3 点を例として流れを説明する。

まず、最初に行われるのはエネルギーの**生成（generation）**だ。

火力発電のボイラー燃焼による**タービン（turbine）**回転、自動車のシリンダー燃焼によるピストン運動、自転車のペダル踏み込みによるギヤ回転により、**運動エネルギー（kinetic energy）**が発生する。

次に、発生したエネルギーは別のエネルギーに**変換（conversion）**される。火力発電ではタービン回転により**電気エネルギー（electrical energy）**、電力が生成される。エンジンのピストン運動や自転車のギヤ回転ではエネルギーの**形態（form）**は運動エネルギーのままだが、自動車ではピストンの直線運動を車輪を回す回転運動に変換している。

そうして生成されたエネルギーは消費するポイントに向かって**伝達（transfer）**される。火力発電では電力が送電網を伝って発電所から家庭や工場などの**電力需要家（power consumer）**へ、自動車では運動エネルギーがエンジンから駆動軸を通じて車輪へ、自転車では運動エネルギーがギヤからチェーンを通じて車輪へ伝達される。そうして伝達されたエネルギーがエアコンや照明、車輪の回転として消費されるのだ。

図 2-3. エネルギー利用の流れ

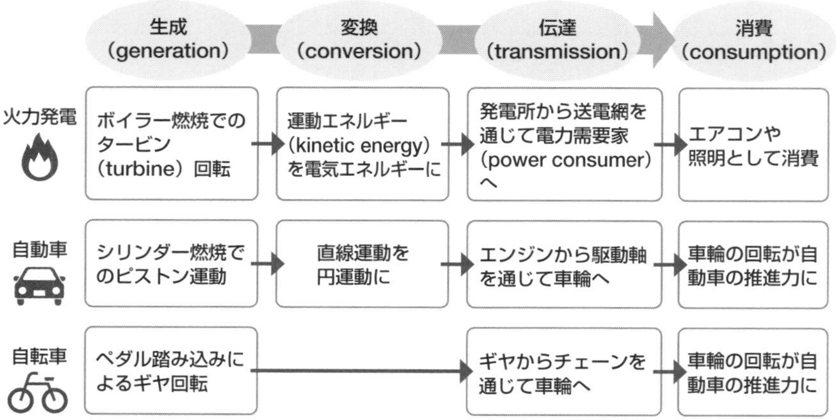

ニュースでよく聞くエネルギー関連技術は、この「**生成（generation）→変換（conversion）→伝達（transfer）→消費（consumption）**」の流れを意識するとわかりやすい。

環境問題とエネルギーの関連で必ず言及される再生可能エネルギーは、「生成」の時点で発生する CO_2 排出量を減らすアプローチである。火力で回していたタービンを水力や風力などの力で回すことができれば、燃焼時に発生していた CO_2 を減らすことができる。電気自動車も、エンジンを動かす燃料を電力に切り替えることで CO_2 排出量を減らすアプローチだ。エネルギー生成時に排出した CO_2 を回収し地下に閉じ込めるCCSや、回収した CO_2 を**原油増進回収（Enhanced Oil Recovery：EOR）**やドライアイス生成などに活用するといったCCUSも、同様のアプローチと言える。

なお再生可能エネルギーの一種であるバイオマス燃料は燃焼時に CO_2 が排出されるが、化石燃料と違い地表上の CO_2 総量が増えないためにカーボンニュートラルだとされている。これは「生成」の一歩手前、燃料に着目したアプローチである。

また「変換」の時点でのアプローチ、すなわち**エネルギー変換効率（energy conversion efficiency）**の向上も重要である。石炭火力発電を例に取ると、石炭を燃やして生じた**熱エネルギー（thermal energy）**を電気エネルギーに変換する効率は現在およそ40～50%だ。すなわち、石炭の燃焼で生じたエネルギーの半分が電力として供給され、残り半分が熱などそれ以外のエネルギーとして排出されている。この変換効率を向上させることで電力需要を賄うために必要な石炭の量を減らし、その分 CO_2 排出量を減らすことができのだ。

変換効率の向上は再生可能エネルギーでも重要で、再生可能エネルギー発電の変換効率が向上すれば、その分化石燃料の発電量を減らすことができる。

他にも、火力発電所に隣接する化学コンビナートに蒸気を供給する川崎スチームネット株式会社の取り組みや、工場や廃棄物処理場から廃棄されるガスを用いて水を加熱する廃熱ボイラーのように、エネルギー生成時に生じた熱の利用（**廃熱回収〔waste heat recovery〕**）を進めて熱生産に必要なエネルギーを減らすアプローチも存在する。

「伝達」の時点に着目したものとしては**超伝導（superconductivity）**技術があげられる。発電所から需要家まで電力を送る際には**送配電ロス（transmission and distribution losses）**が生じており、これを減らすことで発電時点で必要となる電力を削減することができる。超伝導技術は、その送配電ロスを限りなく0にするための技術である。

日本での送電ロス率は4.7％（2017年度、以下同様）だが、これを発電量に直すと約469億kWhになる。石炭火力発電所の1基当たり発電実績が約32億kWhであるため、約14基分の発電量が失われている計算だ。極端な話、送電ロスが0になれば火力発電所を14基減らせるのだ。

なお、この送配電ロスは世界平均で8％にもなり、発展が遅れている国ほど割合が増えていく。そのため「どのエネルギーを使うか」だけでなく、「エネルギー（電力）をどう届けるか」という観点も必要だ。

「消費」の時点に着目したアプローチは先述した省エネの取り組み、すなわち消費量の削減が該当する。発電所はその時々の電力需要に合わせて発電するため、消費量が減れば必然的に発電量が減り、CO_2排出量も減らすことができるのだ。

他にも「生成」と「消費」両方に着目したアプローチとして、**スマートグリッド（smart grid、次世代電力ネットワークや次世代電力網とも）**があげられる。もともとはIT技術を駆使して電力消費のリアルタイムデータを集め、それに基づいて電力供給を制御する仕組みで、アメリカなどで電力供給の安定化のために提案されたものである。

スマートグリッドの導入で期待されることの一つに、消費電力のリアルタイムな可視化とそれによる電力需要の抑制、**デマンドレスポンス（demand response、〔電力の〕需要応答）**があげられる。これは電気料金の変動やリアルタイムの通知により促される消費者側の行動で、日中のエアコン需要のような電力ピークを抑える**ピークカット（英語では peak shaving）**や、パソコンやスマートフォンのバッテリー充電などを電力需要の少ない夜間に行う**ピークシフト（英語では load shifting）**による総合的な発電量の削減が期待されている。

他にも、スマートグリッドには自然エネルギー利用の観点でも期待されることがあるのだが、それは別途 *p.*100 で解説する。

図 2-4. 各エネルギー関連技術の位置付け

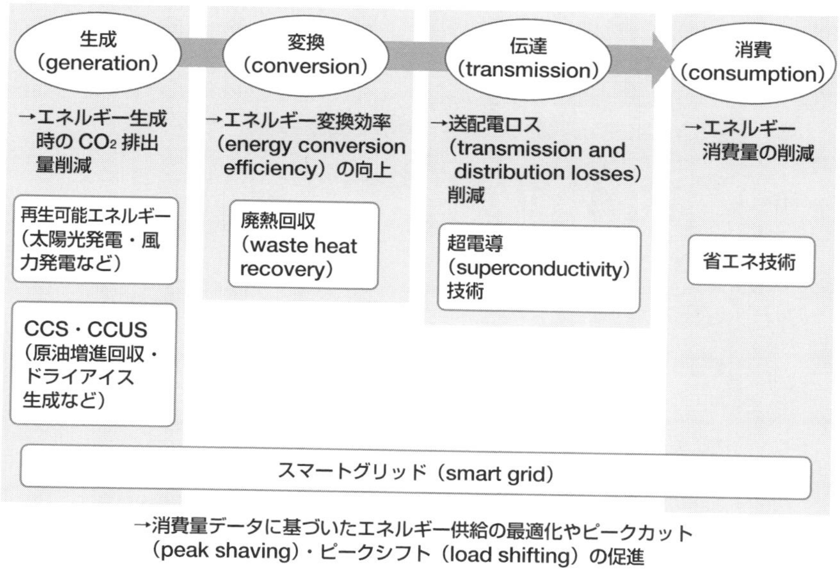

Section 2

環境問題とエネルギー 年表

エネルギー安全保障が意識され始める

1960	世界 石油輸出国機構（OPEC）結成
1969	世界 アメリカ、国家環境政策法（NEPA）を制定
1973	世界 **第四次中東戦争を機に第 1 次オイルショックが勃発**
1974	世界 **国際エネルギー機関（IEA）発足** 世界 **OECD「環境政策に関する宣言」発表** 日本 サンシャイン計画を策定：エネルギー安定供給確保に向けた新エネルギー導入プロジェクト
1978	日本 ムーンライト計画を策定：省エネ技術開発プロジェクト
1979	世界 OPEC の原油値上げやイラン革命を機に第 2 次オイルショックが勃発 世界 OECD「環境に重大な影響を及ぼすプロジェクトのアセスメントに関する勧告」を発表
1980	日本 新エネルギー総合開発機構設立（1988 年に名称を新エネルギー・産業技術総合開発機構に改称） 日本 ソーラーシステム普及促進融資制度実施：個人宅のソーラーパネル設置への低金利融資

環境アセスメント制度と炭素税の普及が始まる

1984	世界 UNEP、環境アセスメント専門家会合を設立
1985	欧州 環境アセスメントに関する EC 指令が採択：1988 年までの環境アセスメント制度導入を求める
1986	世界 チェルノブイリ原発事故勃発
1987	世界 環境アセスメント専門家会合、「環境アセスメントの目標と原則」を採択
1990	欧州 フィンランド、世界で初めて炭素税導入 欧州 イギリスで電力自由化
1991	世界 越境環境影響評価条約（エスポー条約）採択
1993	日本 ニューサンシャイン計画発足：サンシャイン計画とムーンライト計画の統合
1994	日本 新エネルギー・産業技術総合開発機構「風況マップ」を作成：風力発電所設置可能な場所の一覧
1996	欧州 EU、電力自由化指令発表

再生可能エネルギー導入と CO_2 排出削減の結びつきが強まる	
1997	世界 **UNFCCC-COP3で、京都議定書採択**
2001	欧州 EU、再生可能エネルギー指令を発表：EU各国に再生可能エネルギーの導入を求める 欧州 EU、戦略的環境アセスメント指令を発表
2003	世界 エネルギー製品と電力に対する課税に関する枠組みEC指令公布 日本 新エネルギー総合開発機構が新エネルギー・産業技術総合開発機構（NEDO）に改組
2005	欧州 **EU域内排出量取引制度（EU-ETS）の第1フェーズ開始**：発電・石油精製・製鉄・セメント・ガラス・パルプ・製紙・石灰・金属鉱石焼結が強制課金の対象となる 日本 NEDO「日本型風力発電ガイドライン」を策定
2007	世界 **アメリカ、エネルギー自立・安全保障法で「smart grid」を初めて定義**
2009	欧州 EU、再生可能エネルギー指令を改正：再生可能エネルギー導入目標の引き上げ 世界 アメリカ東部7州で CO_2 排出量取引制度開始 世界 国際再生可能エネルギー機関（IRENA）設立 欧州 EU気候変動エネルギー政策パッケージを公表
2011	欧州 エネルギー製品と電力に対する課税に関する枠組みEC指令の改正案公表 日本 東日本大地震により福島第一原子力発電所事故発生
2012	日本 固定価格買取制度（FIT）開始
2013	欧州 EU-ETS、フェーズ3で化学産業を強制課金対象に。また発電業種での無料割当排出量がゼロに。
2015	世界 **UNFCCC-COP21でパリ協定採択**
2019	欧州 **EU、欧州グリーンディールを発表**
2020	日本 菅義偉首相、二酸化炭素排出ネットゼロを2050年までに達成することを宣言 日本 12月、「2050年カーボンニュートラルに伴うグリーン成長戦略」を発表
2021	世界 中国、全国で二酸化炭素排出量取引制度導入

Section 3 環境問題とエネルギー **重要指標の解説**

エネルギー関連で見るべき指標

文：沢田博（ジャーナリスト 『ニューズウィーク』日本版・元編集長）

エネルギー指標の見方と注意点

p.70 でも述べた通り、目標 7 には「安くて信頼できるエネルギーへの普遍的アクセス確保」や「エネルギーミックスにおいて再生可能エネルギーの割合を著しく高める」といった 5 つのターゲットが設定されている。そして各ターゲットの達成に向けた努力の進捗状況を測る **indicator（指標）** としては、全部で以下の 6 つが用意されている。

7.1.1 電気を受電可能な人口の比率

7.1.2 家屋の空気を汚さない燃料や技術に依存している人口比率

7.2.1 最終エネルギー消費量に占める再生可能エネルギー比率

7.3.1 エネルギー強度（GDP 当たりの一次エネルギー）

7.a.1 クリーンなエネルギー研究及び開発と、ハイブリッドシステムに含まれる再生可能エネルギー生成への支援に関する発展途上国に対する国際金融フロー

7.b.1 発展途上国における再生可能エネルギー生産能力（一人当たりのワット数）

まず、ターゲット 7.1 に関する指標は「電力にアクセスできる人口の割合」（指標 7.1.1）と「クリーンな燃料と技術で生み出した電力を使って生きている人口の割合」（指標 7.1.2）の 2 つだ。そしてターゲ

ット 7.2 の指標は「最終エネルギー消費量に占める再生可能エネルギー比率」（指標 7.2.1）。

ご承知の通り、SDGs という語では**開発（development）**と**目標（goals）**が名詞で、**持続可能な（sustainable）**は形容詞。どちらが主役かは明らかだろう。まずは開発。その開発をできるだけ持続可能な形に。そういう順番だ。**「すべての人が電力にアクセスできる」（ターゲット 7.1）という目標の 100％達成が先で、持続可能な電源の割合はできるだけ高めればいい。**SDGs を設定した 2015 年の時点で各国の合意を得るには、これが精いっぱいだった。ただし 2050 年あたりまでの先を見据えるなら、指標 7.2.1 のエネルギー消費に占める再生可能エネルギーの割合も注視しなければなるまい。

目標 7 において、「開発」という観点からまずは電力への普遍的アクセス実現が重要視される。しかし、「持続可能性」の観点からは、再生可能エネルギーの供給増強も重要である。（photo: peterschreiber.media/iStockphoto, imacoconut/iStockphoto）

ターゲット7.3の指標は**エネルギー強度（energy intensity）**で、**一定の経済価値の創出に使われた一次エネルギーの量**で表される。消費エネルギーが少ないほど強度は高く、効率的ということになる（下図参照）。単純に言えば消費エネルギーの総量をGDP（国内総生産）で割った数字であり、わかりやすいが、エネルギーを使う現場の状況は見えてこない。

ターゲット7.aの指標は、「ターゲット7.aの目的に沿った研究・開発に関わる援助資金の国際的な流れ」（指標7.a.1）。つまり、**先進諸国の約束した途上国援助が現実に実行されたか、実行されたとして、それが所期の目的で使われたか**が大事である。先進諸国の援助公約が単なる「口約」（口先だけの約束）に終わることは珍しくない。援助には受け皿が必要だが、その受け皿を用意するのは途上国側の責任。途上国側に再生可能エネルギーを導入する意思がなければ、その援助は宙に浮いてしまう――指標の構造上、こういった言い訳を先進国側は用意できるようになっている。

図2-5. エネルギー強度の基本的な考え方

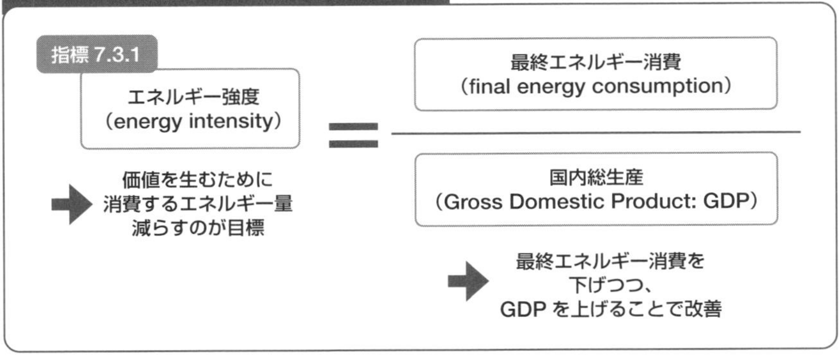

一方、「エネルギー消費に占める再生可能エネルギーの割合」はどうか。エネルギー消費の総量が増えないことを前提にすれば、この割合が増えれば確実に CO_2 排出量は減る。ただし現実には、後発途上国などの開発＝**電化（electrification）**が進むに伴い、2030 年ごろまではエネルギー消費の増加が見込まれている。「エネルギー消費に占める化石燃料の割合」を指標にしたほうがよさそうな気もするが、それにはアメリカを含む産油国や、安く手に入る石炭を使い切りたい各国政府が強く反発するだろう。

しかし、**もともと国内に石油資源がほとんどなく、石炭もほとんど掘り尽くした日本の場合は、再生可能エネルギー（再エネ）の割合がかなり有効な指標になる**（ただし日本政府は、*p*.92 で述べるように、海外で巧妙に石炭を活用する計画を練っている）。

図 2-7. 日本の再生可能エネルギーの割合

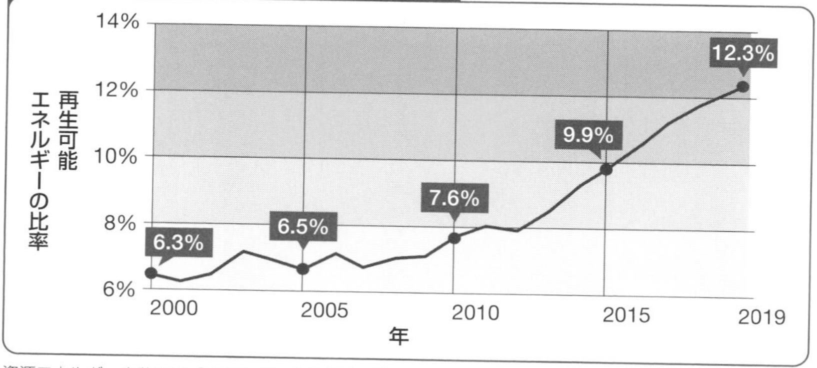

資源エネルギー庁公開の「エネルギー白書 2021 第 2 部 エネルギー動向 第 1 章　国内エネルギー動向 第 1 節　エネルギー需給の概要」(https://www.enecho.meti.go.jp/about/whitepaper/2021/html/2-1-1.html) の「【第 211-3-1】一次エネルギー国内供給の推移」を元に編集部が作成した。

Exercise 知識問題 環境問題とエネルギー

1. 以下の英単語について、最も適した日本語訳をａ～ｄの中から選べ。

IEA （　　）

a. 原油増進回収　　b. 締約国会合

c. 国際エネルギー機関　　d. 二酸化炭素回収・貯留

statistics （　　）

a. 指標　　b. 統計

c. 比率　　d. 指数

carbon tax （　　）

a. 炭素税　　b. 炭素強度

c. 炭素貯蔵量　　d. 炭素価格

cogeneration （　　）

a. 電圧変動　　b. 系統制約

c. 熱電併給　　d. 超伝導

2. 以下の単語について、最も適した英語訳をａ～ｄの中から選べ。

エネルギー強度 （　　）

a. energy security　　b. energy poverty

c. energy intensity　　d. energy efficiency

信頼できる （　　）

a. affordable　　b. reliable

c. sustainable　　d. variable

熱エネルギー （　　）

a. kinetic energy　　b. electrical energy

c. thermal energy　　d. mordern energy

3. 以下の単語に当てはまる英語訳を（　）内に記入せよ。

化石燃料　（　　　　　　　　）

需要応答　（　　　　　　　　）

停電　（　　　　　　　　）

4. 以下の英単語の意味を、（　）内に日本語で記入せよ。

affordable　（　　　　　　　　）

CCUS　（　　　　　　　　）

peak shaving　（　　　　　　　　）

5. 以下の文章内の（　）に当てはまる単語を記入せよ。

(A) such as electricity and natural gas are more efficient and safer than traditional biomass energy.

A (　　　　　　　　)

(B) is the efficiency of energy from the perspective of producing economic value.

B (　　　　　　　　)

(C) is a form of demand response that shifts the time of electricity consumption away from the time when electricity demands peak.

C (　　　　　　　　)

化石燃料から本当に抜け出せるのか？

文：沢田博（ジャーナリスト 『ニューズウィーク』日本版・元編集長）

必要なのは“Goal”への道筋

繰り返すが、SDGsは2015年の「私たち（おとな）」が設けた2030年までの目標である。当時の私たちにとって、それは野心的な目標だったかもしれない。でも2030年時点での「おとな未満」世代の目には、「そんなの最低限の義務でしょ！」と映るだろう。この認識ギャップは2030年が近づくにつれて大きくなる。その間にも温暖化は進み、その余波で気象関連の災害が増え、「おとな未満」世代の危機感はつのるからだ。

とりわけエネルギー部門では、一刻も早く **“away from fossil fuels”（化石燃料から手を引く）** ことが求められる。SDGsの目標7は化石燃料の使用継続を条件つきで認めているが、それは現実的な妥協の産物だろう。本当にsustainableであろうとするなら、化石燃料から手を引く道筋を具体的に示す必要がある。

まずは企業努力を

化石燃料から手を引く最初の道筋としては、まず企業努力での利用削減ということになるのだろうが、それは可能なのだろうか。

2020年12月8日付の *The New York Times* 国際版に、サウジアラビアの国営石油会社アラムコ（ARAMCO）が全面広告を出していた。

キャッチコピーは「CO_2をリサイクルして強いコンクリートを製造する方法は？」で、中央に大きく“carbon curing”と書いてあった。どうやら大気中からCO_2を回収し、それを生コンクリートに注入して効率よく強度を高める技術らしい（cureには「塩漬け」の意味もある）。その技術自体はアラムコのものではなく、別のカナダ企業が独自に保有する技術だ。サウジアラビアの石油会社が、なぜカナダ企業の技術を宣伝するのか。当時アラムコがニューヨーク市場での株式上場を狙っていたことを考えると「石油会社もCO_2の排出削減に配慮しています」というメッセージとも取れるが、いささか無理があるのではないだろうか。

一方で、化石燃料と手を切って成功した電力会社もある。スペインのIberdrola社だ。社長が交代した2001年以来、同社は在来の火力発電設備を売却・縮小しつつ、再エネ発電に積極投資してきた。今や中国を除くと、世界最大の太陽光・風力発電会社である（詳しくは今年5月5日付の*The New York Times*国際版参照）。成功の秘訣は**国境を越えて市場を開拓し実績を積み上げ、規模の拡大でコストを削減してきたこと、そして再エネに賭けるという経営者の姿勢がぶれなかった点**にある。

このように、少なくとも企業レベルでは「化石燃料から手を引く」ことが可能だ。しかし化石燃料から手を引くためにはそれだけでは足りない。

Iberdrola社写真。2001年以降の再生可能エネルギーへの一貫した投資姿勢により、「化石燃料から手を引く」ことに成功した電力会社の一つである。
（photo: PierreOlivierClementMantion/iStockphoto）

国家・社会レベルでの道筋は立つのか？

問題は、国家や社会のレベルで「化石燃料から手を引くこと」が可能かどうかである。中国は世界最大の太陽光発電国だが、その一方火力発電でせっせと石炭を燃やしてもいる。国内の石炭を掘り尽くした日本もそうだ。2021 年 3 月 14 日付の *The Japan Times* によれば、日本政府はオーストラリアに捨てるほどある **褐炭（brown coal）** を蒸し焼きにして水素を取り出し、液化してタンカーに積み、日本に運んで**水素発電**（**hydrogen power generation**、簡単に言えば水の電気分解の逆の工程で、排出されるのは水だけとなる発電方法）に使う計画を進めている。水素発電の代表的な応用例は **FCV（Fuel Cell Vehicle、燃料電池車）** で、確かに CO_2 を排出しないクリーンな技術だが、水素の製造・運搬過程で石炭を燃やしているかぎり、クリーンではなく gray（灰色）と呼ばざるを得ない。

図 2-8. グレーなエネルギー

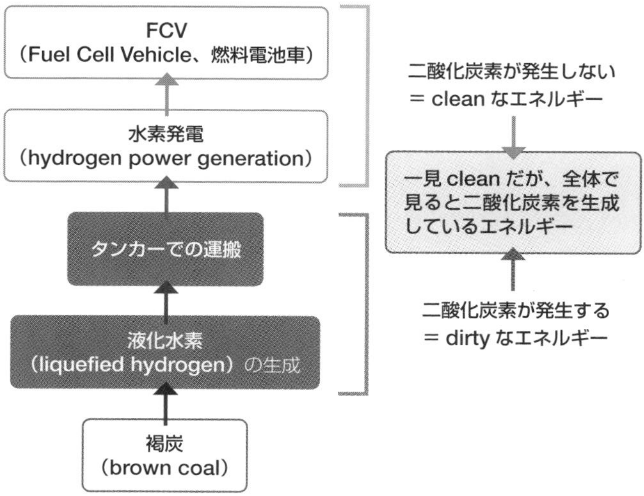

もちろん、黒よりは灰色のほうがいい。SDGsも「よりクリーンな」技術という表現でgray zoneを容認している。しかし、それで満足してはいけない。化石燃料は決して枯渇しない（温暖化で北極の氷が解ければ、海底からいくらでも取り出せる）。だからこそ絶対に手を出さない、あっても使わないという政治的・社会的な合意が必要となる。

そもそも化石とは何か。生物の遺体だ。化石燃料は何万年も前に枯死した木々の遺体。それを掘り出すのは、太古の森の墓場荒らしに等しい。そういう**bioethics（生命倫理）**レベルの認識があれば、いかに利己的な人類も化石燃料から手を引くのではないか。そこまで踏み込んで初めて、石炭を**「黒いダイヤ」（black diamond）**と呼ぶ政治家・資本家はいなくなる。

新しい“usual”に向けた社会合意を

気候変動の議論に**BAU**という言葉がある。**business as usual（ふだんどおり）**の意であり、いい意味では「あわてず騒がず、平常心を貫く」ことを意味する。しかし化石燃料をBAUで使い続ければ温暖化は止まらず、2100年段階の地球の平均気温は産業革命以前の時期に比べて摂氏3度以上も高くなるという。

だが人類の長い歴史を通じて見れば、化石燃料の大量使用は決して“usual”ではなかった。“usual”になったのは産業革命以降、たかだか200年ちょっとの話だ。なにも産業革命以前の“usual”に戻れと言うのではない。せっかく新しい再生可能エネルギーを見つけたのだから、それを化石燃料に代わる新たな“usual”にすればいい。2030年の「おとな未満」世代が求めているのは、そうした社会的合意である。

「環境に優しい技術」の弱点

文：コスモピア編集部

p.72 でエネルギーに関連するさまざまな CO_2 排出量削減の取り組みを紹介したが、これらすべてに弱点が無いわけではない。特に再生可能エネルギーの利用は、環境面とエネルギー供給面の両方で弱点を抱えている。ここではそれぞれの問題を紹介していきたい。

環境面での弱点：それは本当にクリーンか

バイオマス発電を除き発電時に CO_2 が発生しない再生可能エネルギーは、一見温室効果ガス削減に貢献し環境に優しいように見える一方で、それ以外の環境負荷、自然環境の破壊に生物多様性の損失、資源枯渇の問題をもたらす可能性がある。

まず、再生可能エネルギーに限らずすべての発電所建設に言えることではあるが、発電設備の設置自体が設置場所の森林開発などといった形で環境に負荷を与える可能性がある。特に**太陽光発電（photovoltaic generation）**は、メガソーラーシステム設置のために大規模な森林伐採や、それによる土砂災害の増加などが日本各地で問題となっている。

また水力発電や風力発電などの自然の運動エネルギーを用いた発電では、環境破壊や生物多様性の損失といった問題も指摘されている。

水力発電の一部、ダムを用いた**大規模水力発電（large scale hydropower）**では、ダム設置のために河川の上流、多くは山間

部の森林開発が必要となる。またダム設置後は、上流と下流の分断や水量・水温の変動、土砂のダム内集中（**ダム堆砂〔reservoir sedimentation〕**）といった環境変化が生じる。

ダムによる河川の分断や水量・水温の変動は、例えば川魚（アユなど）の**回遊（fish migration）**阻害や**冷水病（bacterial cold water disease）**の発生など、生態系に悪影響をもたらす。また森林開発や河川内での土砂の偏りは、森林面積の減少や下流域の**土壌劣化（soil degradation）**や**河岸浸食（bank erosion）**を招く。

例えば、エジプトのナイルデルタは**「エジプトはナイルの賜物」（Egypt is the gift of the Nile）**と言われるように肥沃な土壌を持っていた。しかし 1970 年のアスワンハイダム完成以降、河川からの**沿岸土砂供給（coastal sediment supply）**の減少により土壌が劣化して農地が減少し、また河岸・海岸の後退が進んでいる状態だ。

風力発電の場合は生態系への影響、特に鳥類への影響が問題視されている。風力発電を利用する土地では発電所敷地内を飛行する鳥が回転する風車のプロペラに衝突してしまう事故、**バードストライク（bird strike、鳥衝突）**が多発している。

例えばアメリカでは年間 21 万羽から 36 万羽が風力発電設備との衝突で死亡していると推計されている。また貴重な鳥が死ぬこともあり、日本では絶滅危惧種のオジロワシが風力発電設備への衝突で死亡していることが問題となっている。

このように、エネルギー源が環境に優しいからといって、用意される発電設備が環境に優しいとも限らないのだ。また*p.*92 で水素発電について言及された通り、燃料の出自が環境に優しくない場合もある。

具体例としては、**木質ペレット（wood pellets）**などの木質バイオマス燃料や**パーム油（palm oil）**、その絞りかすである **PKS（Palm Kernel Shell、ヤシ種殻）**といったバイオマス発電に使われる燃料

があげられる。これらの生産のために森林伐採や切り株の除去、**自然林（virgin forest）**の人工林化などを進めるとその土地の**炭素貯蔵量（carbon stock）**が減少してしまう。

また燃料に加工したり燃料を運搬したときにもCO_2は排出されるため、全体として見ると化石燃料より多くの温室効果ガスを排出してしまうことになるのだ。2021年1月に木質バイオマス燃料はカーボンニュートラルとは言えないとの報告書が欧州委員会より出されているのは、こういった理由が背景にある。

このように単純に再生可能エネルギー＝環境に優しい、と考えることは難しく、さまざまな環境への影響を考慮する必要がある。

図 2-9. 再生可能エネルギーと環境破壊

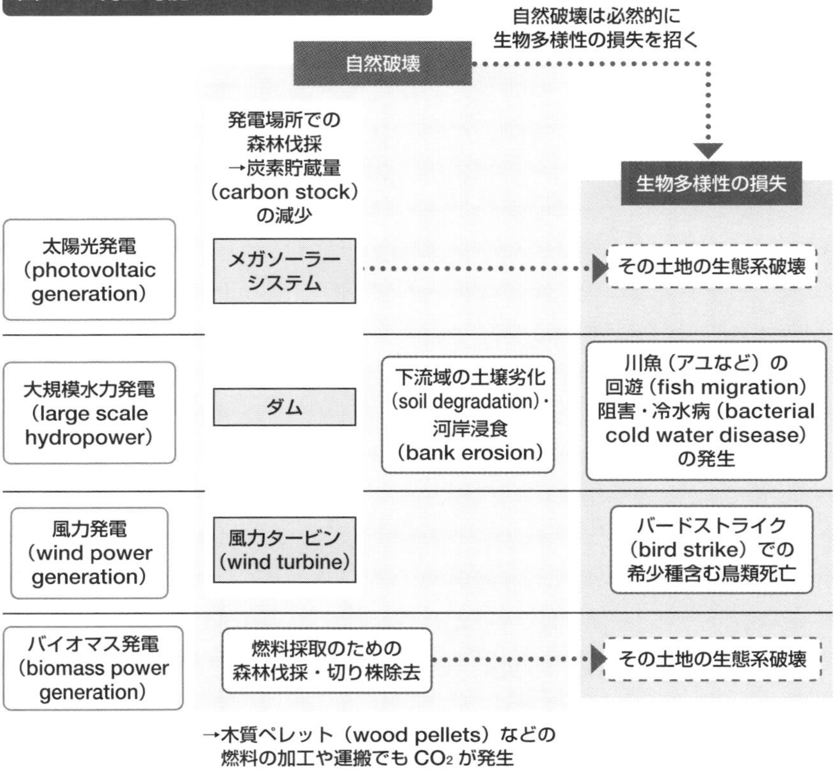

環境アセスメント

あるエネルギーが環境に優しいかどうか、それを検討するための考え方はいくつかある。発電時の CO_2 排出量だけでなく、燃料の採取や運搬なども含めたサプライチェーン全体を見て共時的な観点から判断するのは、*p.*144 で解説するようなフットプリント的な検討方法である。ここでは環境への影響を通時的な観点から判断する方法の一つ、**環境アセスメント（environmental assessment）**を紹介したい。

環境アセスメントは、ある事業や政策などを実施した場合に環境へ与える影響を事前に調査・予測・評価する取り組みである。**環境影響評価（environmental impact assessment）**とも言い、政策や事業計画の段階で行われるものは**戦略的環境アセスメント（Strategic Environmental Assessment: SEA）**と呼ばれる。日本では環境影響評価法（1997 年成立）によって手続きが定められており、事業者が中心となって事業を実施した場合の環境への影響を調査して、国や自治体首長、国民といったさまざまな**利害関係者（stakeholder）**がその調査結果や対策案に対して意見を出していく形となっている。

環境問題対策としての環境アセスメントは、1969 年にアメリカで**国家環境政策法（National Environmental Policy Act: NEPA）**として制度化されたものが最初である。1962 年に出版されたレイチェル・カーソンの『沈黙の春』により環境問題への社会的関心が高まっていたことが背景にあり、以降同様の法律が 1974 年オーストラリア、1975 年タイと各国で成立していった。

日本では 1967 年に公害対策基本法が制定されていたことから、環境問題より範囲が限定される、公害の対策に関連した環境評価の取り組みは存在していた。しかしより複雑な環境問題の対策を進める必要

から1993年に環境基本法が成立、1997年には環境影響評価法が成立し、海外と同じような形での環境アセスメントが始まることになる。

先にあげたような自然エネルギー発電設備による環境への悪影響は今後、環境アセスメントにより事前に把握されて対処されることが望まれている。現在の日本の環境アセスメント制度は事業者側の過度な負担や市民側への説明がわかりづらい等の課題を抱えているが、「環境に優しいはずが実際はそうではなかった」という事態を避けるため効果的に運用されることが期待される。

環境アセスメントの際は水質調査や植生調査、土壌調査などのさまざまな調査が対象地域で行われ、それを元に実施事業が周辺環境にどのような影響を及ぼすのかが評価される。（photo: mladenbalinovac/iStockphoto, Daniel Balakov/iStockphoto, microgen/iStockphoto）

供給面での弱点

再生可能エネルギーには、エネルギー供給面での弱点も存在する。特に導入の拡大が目指されている太陽光発電と風力発電では、その電力供給量が天気に左右されるため安定して電力を供給するのが難しい。太陽光発電は曇天・雨天時、風力発電は無風時になると発電ができなくなる上、気候条件が揃うと必要以上の電力を発電してしまう可能性もある。電力は電力消費量と供給量を常に一致させる必要があり、この**電力バランス（electricity balancing）**が崩れると電気の周波数が乱れて**停電（power outage）**が起きてしまうのだ。こういった電力需給バランスにおける問題は**系統制約（grid constraint）**と呼ばれ、再生可能エネルギー導入へのハードルの一つとなっている。

現在のエネルギーミックスにおいては、発電にかかるコストが少なく安定的に発電できる**ベースロード電源（base load power）**、発電量の調整が容易な**ミドル電源**、発電量の調整が容易だが発電コストが大きい**ピーク電源（peak load electricity source）**の組み合わせで発電が行われている。このうち化石燃料の石炭はベースロード電源、石油はピーク電源、**天然ガス（Liquefied Natural Gas: LNG）**はミドル電源で用いられている。これらの化石燃料使用量を減らすために、再生可能エネルギーをどう組み入れていくかが今後の課題となっている。

スマートグリッドと分散型エネルギーシステム

p.78で紹介したスマートグリッドは、日本ではこのエネルギー供給面での弱点を補うものとして紹介されている。先述の通り太陽光発電や風力発電は発電量が大きく変動しうるため、スマートグリッドの導入によりその変動を吸収しようというのが主な狙いだ。

スマートグリッドは、もともとITによる電力需給バランスの管理を目指して考えられた技術である。日本ではスマートグリッドを用いた再生可能エネルギーの導入拡大にあたり、電力需給バランスの最適化だけでなく、**蓄電池（battery energy storage）**や**地域エネルギーマネジメントシステム（Community Energy Management System: CEMS）**の活用による**分散型エネルギーシステム（Distributed Energy System: DES）**の実現が目指されている。

なお、この分散型エネルギーシステムの実現が目指されるのは、再生可能エネルギーの普及拡大が目指される世界潮流への適応だけではない。従来の火力発電や原子力発電といった**集中型電源（centralised generation）**から脱却することで、自然災害が多発する日本国内での電力網のレジリエンスを強化する目的もある。

こういった背景で実現が目指される分散型エネルギーシステムは、特徴として①風力発電所や太陽光パネルといった発電設備が、遠隔地ではなく地域内に点在していること、②その発電設備や蓄電池などの電力設備が各種**エネルギーマネジメントシステム（Energy Management System: EMS）**により連携されていること、そして③それらのEMSがCEMSにより地域内統合されていることの3点があげられる。

従来の集中型電源には引き続き接続しつつ、地域内でも電力供給源を持つことで、地震や台風といった自然災害により送電網が分断されても停電の影響を最小限に収めることができる。また、変動の多い自然エネルギーで需要を超えて発電された分を地域内の蓄電池や**揚水式水力発電所（pumped storage hydropower plant）**に蓄電する、また売電するといった制御も可能となり、先に説明した系統制約を解消することができる。

図 2-10. スマートグリッドで目指す未来のエネルギー供給

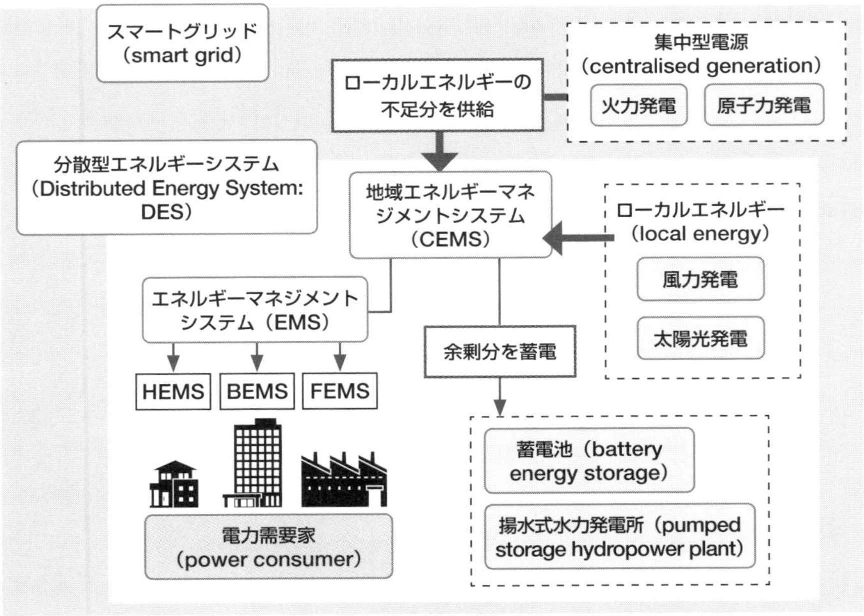

このように再生可能エネルギーの導入拡大に向け実現が目指される分散型エネルギーシステムだが、導入コスト以外での難点がまったくないわけではない。まずは再生可能エネルギー発電設備の導入には環境アセスメントをクリアする必要がある。また、システム実現の前提となっている蓄電池の大量生産もネックとなる。

現在製造されている蓄電池はその多くが**リチウムイオン電池（lithium-ion battery）**だが、リチウムイオン電池は原料のリチウム精製に大量の真水が必要となる。またリチウムからリチウムイオン電池の生成に大量の電力を消費することもあり、その環境負荷は決して無視できる規模ではない。さらにリチウムイオン電池に使用される**コバルト（cobalt）**には、不健康な採掘環境や**児童労働（child labor）**などといった人権問題が存在している。

環境問題とエネルギー問題のトレードオフは、気候変動対策となる再生可能エネルギーの導入拡大でも生じうるものだ。また資源が絡む場合は*p.*124でも解説する通り、**人権問題（human rights issues）**などへの対策も欠かせない。わかりやすい解決策に飛びつかず、それによる影響に目を配ることがSDGs達成には重要となる。

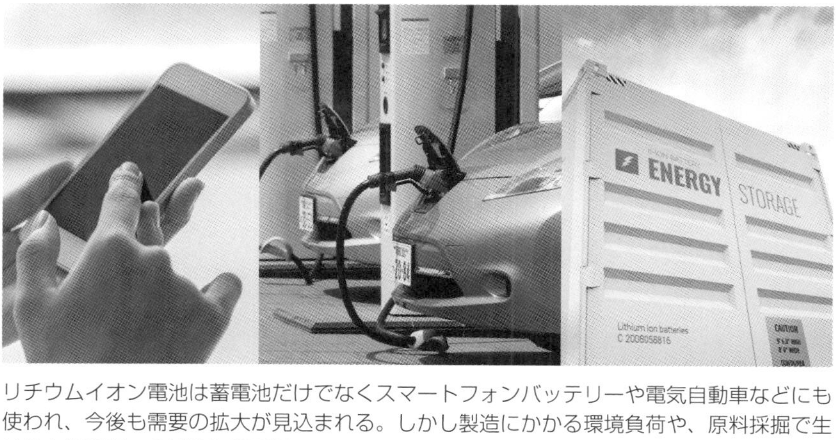

リチウムイオン電池は蓄電池だけでなくスマートフォンバッテリーや電気自動車などにも使われ、今後も需要の拡大が見込まれる。しかし製造にかかる環境負荷や、原料採掘で生じる人権問題への対策も必要だ。
（photo: west/iStockphoto, joel-t/iStockphoto, Petmal/iStockphoto）

Section 5 環境問題とエネルギー キーワード

□ Btu

British thermal unit の略称で、意味は「英国熱量単位」。ヤード・ポンド法で用いられる熱量単位。1Btu は約 2.5kcal、1Btu/h は約 0.3W。

□ energy security

「エネルギー安全保障」。経済活動や日々の生活に必要なエネルギーを、安定的に手頃な価格で、環境に配慮しつつ安全に供給できる体制を継続的に確保すること。エネルギー安全保障を満たすための四要件を、日本では S+3E と総称する（Safety + Energy Security, Economic Efficiency, Environment）。

□ IEA

International Energy Agency の略称で、意味は「国際エネルギー機関」。1974 年のオイルショックを契機に設立された、OECD 加盟国中心のエネルギー政策協力機関。毎年エネルギー情勢に関するレポート *World Energy Outlook* を発行しており、世界各国のエネルギーミックスなどの統計データも公開している。

□ energy access

「エネルギーアクセス」。電力や石油、ガスなどの近代的エネルギーを**利用（access）**できることを指す。この普及率の拡大が SDG7 の目標 7.1 で目指されている。

□ affordable

「利用可能な、手頃な（価格）」。エネルギーが適切な価格で入手できることを指す。エネルギー利用の文脈では、生活に必要なエネルギーが生活を逼迫しない程度に入手できることが重要とされている。

□ energy poverty

「エネルギー貧困」。近代的なエネルギーをインフラの不整備や経済的な理由などで利用できないこと。前者は主に発展途上国で生じている問題で、バイオマス燃料利用に伴う健康被害が問題とされている。後者ではイギリスを中心にヨーロッパで生じている問題で、電気料金が貧困層の家計を逼迫していることが問題とされている。

□ traditional biomass energy use

「伝統的なバイオマスエネルギー利用」。薪や牛ふん等を料理や暖房など生活上のエネルギーに利用すること。電力やガスの普及が十分でない発展途上国でよく見られ、燃焼時に発生する有害なガスでの健康被害が問題視されている。

□ power outage

「(大小問わず) 停電」。大小を問わない電力供給時のトラブル。供給は続くもその量が不十分な場合は brownout、また供給自体が停止してしまう場合は blackout とも呼ぶ。

□ voltage fluctuations

「電圧変動」。発電機の機能不全などの理由により電力供給が不安定になること。電圧変動が起きた場合は電球等で**ちらつき (flickering)** が生じたり、医療用電子機器の早期故障を引き起こしたりする。

□ carbon neutral

「カーボンニュートラル」、「もしくは炭素中立」。経済活動等により生じる CO_2 排出量を実質的にゼロにすることを目指す方針。排出量自体の削減と CO_2 回収量の増加により達成が目指される。なお、排出量を回収量が上回った状態は**カーボンネガティブ (carbon negative)** と呼ばれ、2020 年にマイクロソフトが目指すことを宣言したことが有名。

□ carbon pricing

「カーボンプライシング」、もしくは「炭素の価格付け」。経済活動により排出された CO_2 に対して、課税や取引の対象として値付けを行うこと。CO_2 排出者に対する意識変容が狙いとなっており、積極的な排出量削減を促すことが目的とされている。

□ carbon tax

「炭素税」。CO_2 排出量に応じて課税される税金。課税対象としては燃料の流通業者に電力会社、また電力利用者の三者が考えられる。日本では地球温暖化対策税が 2012 年に導入され、化石燃料の販売者に対して課税されている。

□ ETS

Emissions Trading System の略称で、意味は「排出量取引制度」。法律により定められた各企業の CO_2 排出量の枠を、取引可能とする制度。企業に対して排出量削減のインセンティブが働くことが期待される。Emissions Trading Scheme と表記する場合もある。

□ yellow vest movement

「黄色いベスト運動」。2018 年から発生しているフランスのデモ運動。最初のきっかけは炭素税強化に向けた燃料税の引き上げで、直前の原油価格高騰を受けて引き上げ停止を求めるデモが行われた。都市郊外や農村部でのガソリン需要が高く、家計の逼迫が危惧されたことが運動発生の背景の一つとされている。

□ carbon leakage

「カーボンリーケージ」。産業や投資などが、CO_2 排出規制が緩いところへ流出していくこと。流出元の排出量が減少しても流出先での排出量が増加することで、地球全体の CO_2 排出量が変わらないことが危惧される。2021 年に EU が発表した**炭素国境調整メカニズム（Carbon Border Adjustment Mechanism: CBAM）**はカーボンリーケージの対策の一つ。

□ energy mix

「エネルギーミックス」。電力発電に使われる石炭や輸送時に消費されるガソリン、暖房の燃料となる薪など、エネルギー源となるものの構成比率。電力のエネルギー源となるものの構成比率を指すことも多い。再生可能エネルギーの割合増加が SDG7 の目標 7.2 で目指されている。

□ FIT

Feed-In Tariff の略称で、意味は「固定価格買取制度」。電力を発電時点での市場価格に関わらず固定価格で買い取る制度。再生可能エネルギーの導入普及のために各国で用いられる。再生可能エネルギーの普及が進んだ近年、消費者への負荷を減らすために買取時の補助金を固定にする FIP（Feed-in Premium）制度が広まりつつある。

□ Kaya identity

「茅恒等式」。CO_2 排出量を、エネルギー生成や経済活動などの観点から因数分解した式。茅陽一氏が作成し、1990 年の IPCC 報告書に掲載された。

□ energy intensity

「エネルギー強度」。一定の経済価値を生むのに必要なエネルギー量を指す。小さければ小さいほど良いとされる。省エネ活動はこのエネルギー強度を削減するための取り組みと言える。SDG7 の目標 7.3 でこれの削減が目指されている。

□ carbon intensity

「炭素強度」。一定のエネルギーを消費する際に排出される CO_2 排出量。エネルギー強度と同様小さければ小さいほど良いとされる。再生可能エネルギーの導入拡大はこの炭素強度削減のための取り組みと言える。

□ smart grid

「スマートグリッド、もしくは次世代送電網」。情報技術を用いて管理された送電網。電力の需要と供給の双方を制御して、最適な電力供給を実現するのが大きな目的である。再生可能エネルギー導入の目的だけでなく、既存インフラの品質改善や新規インフラ構築時の標準技術としても用いられる。

□ distributed power sources

「分散型電源」。太陽光発電や風力発電など、**電力需要家（power consumer）**から比較的近い距離の複数箇所で発電が行われる。スマートグリッドにより、火力発電や原子力発電といった既存の遠距離・少数発電の**集中型電源（centralized power sources）**との併用が現実的になった。日本では再生可能エネルギーの導入拡大に加え、被災時のエネルギーレジリエンス（回復力）向上も目的とされる。

□ micro grid

「マイクログリッド」。集中型電源の利用だけでなく分散型電源も兼ね備えた、地域の電力系統。電力の受け取りだけなく送り手にもなれることから、**仮想発電所（Virtual Power Plant: VPP）**としての運用が目指されることもある。

□ grid balancing

「電力系統の需給バランシング」。電力の供給量を需要量に合わせて制御していくこと。供給量と需要量は常に一致している必要があり、そのバランスが大きく崩れると大規模停電が生じる場合がある。

□ grid constraints

「系統制約」。ある電源を既存の電力系統に接続する際に生じる問題。発電出力の制御が困難な再生可能エネルギーの場合、発電出力の変動を既存電源の運用でどのようにカバーするかが問題となる。スマートグリッドの導入によりこの問題の解消が目指されている。

□ EMS

Energy Management System の略称で、意味は「エネルギーマネジメントシステム」。ある地域一帯や建物全体などの電力需給を管理するシステム。管理対象に応じて HEMS（住居用）、BEMS（ビル用）、FEMS（工場用）、CEMS（地域一帯）など名称が変わる。

□ DR

Demand Response の略称で、意味は「デマンドレスポンス」、もしくは「需要応答」。一般家庭や事業者といった電力需要家側の電力需要パターンを、EMS 等を通じて変化させること。電力消費のタイミングをずらす**ピークシフト（load shifting）**や消費量自体を減らす**ピークカット（peak shaving）**などを促すことで、最終的な発電コストを抑える狙いがある。

□ negawatt power

「ネガワット」。デマンドレスポンスにより生じた節電量を売買可能なものと見なす考え方。デマンドレスポンスへの積極的な動機付けが期待される。

□ nudge theory

「ナッジ理論」。人々の動きは小さな気付きで変わりうることを指した理論。nudgeの意味は「ちょっと小突く」。エネルギーの文脈では、電力利用状況を知らせるだけでもデマンドレスポンスが生じることが期待されている。

□ CCS

CO_2 Capture and Storageの略称で、意味は「二酸化炭素回収・貯留」。発電所や工場で生じたCO_2を回収して地中に埋めること。地中に存在する遮へい層をふたにして、その下の貯留層にガスを注入することでCO_2の封じ込めを行う。この注入先を油田にして石油を増産するなど、有効活用を意図する場合は**CCUS（CO_2 Capture, Utilization and Storage、二酸化炭素回収・有効利用・貯留）**と呼ばれる。

□ superconductivity

「超伝導」。特定の金属などを氷点下からさらに冷やすと電気抵抗がゼロになる現象。電気抵抗がゼロになる温度を実用的な範囲まで上げる金属の組み合わせが見つかり、日本では2020年に送電網利用の実証実験が始まっている。

□ cogeneration

「コージェネレーション」、もしくは「**熱電併給（Combined Heat and Power: CHP）**」。発電所で発電時に生じる廃熱を回収し、近隣家屋や工場への熱供給などに再利用すること。廃熱の再利用により燃料の総合エネルギー効率が向上し、炭素強度が減少する。

□ renewable energy

「再生可能エネルギー」。人間の活動による消費量よりも自然に補充される量が大きいエネルギー源を用いた動力。化石燃料やウランなどは人間の消費量が自然の補充量を上回るため再生が見込めず、**枯渇性エネルギー資源（depletable energy resources）**と呼ばれる。

□ wind power generation

「風力発電」。プロペラの風による回転を利用した発電。プロペラの向きが地面に対して水平か垂直かで種類が分かれ、耐久性や発電効率向上のためにそ

れぞれ研究が進められている。また、土地面積の制約を受けない**洋上風力発電**（**off-shore wind power**）の導入拡大も目指されている。

□ biomass power generation

「バイオマス発電」。木材廃棄物や可燃ごみなどを燃やす際に生じる熱を用いた発電。燃焼過程でCO_2が生じるものの、エネルギー源が比較的短いサイクルで自然に補充されることから再生可能エネルギーとされている。

□ geothermal power generation

「地熱発電」。火山や温泉など、比較的地表に近い地下熱源の蒸気を用いた発電。安定的な電力供給が見込めるものの、発電所設置による自然破壊や温泉産業への影響が懸念される。

□ water power generation

「水力発電」。水の流れによる水車の回転を用いた発電。ダムを用いたものは**大規模水力発電**（**large-scale hydropower**）と呼ばれる。また、一度流した水を再度汲み上げることで余剰電力の蓄電にも用いることができ、その仕組をそなえたものを**揚水式水力発電**（**pumped storage hydropower**）と呼ぶ。

□ solar photovoltaic power generation

「太陽光発電」。特殊な半導体に光を当てることで生じる電荷を用いた発電。比較的設置場所を選ばず、屋根の上やビルの屋上など設置可能な箇所は多い。しかしメガソーラー設置のための森林開発やパネルの反射光によるトラブルが問題視されている。

□ environmental assessment

「環境アセスメント」。ある事業や政策の実施が環境に与える影響を調べ、評価する一連のプロセス。assessmentは「調査を行った上での評価」を意味する。評価対象の絞り込み（**スクリーニング**〔**screening**〕）や調査・評価範囲の策定（**スコーピング**〔**scoping**〕）など、いくつもの段階を経て、政策立案者や事業実施者、地域住民といった関係者間の利害調整や**緩和策**（**mitigation**）の提案、そもそもの実施可否などが決定される。

なお、風力発電所設置といった事業実施レベルでの環境アセスメントは**環境影響評価**（**Environmental Impact Assessment: EIA**）とも呼ぶ。また政策や事業構想のレベルでの環境アセスメントは**戦略的環境アセスメント**（**Strategic Environmental Assessment: SEA**）と呼ばれる。

Exercise 思考問題 1 環境問題とエネルギー

1. 発展途上国ではエネルギー源として火力発電を選ぶことが多いが、それはなぜなのか。Part 1 と Part 2 の内容を踏まえて、その理由を英語で述べよ。

解答・解説は→ p.193

2. 風力発電や太陽光発電などの再生可能エネルギーを一つあげて、その発電の仕組みと環境面で発生しうるデメリットを英語で述べよ。

Section 6　環境問題とエネルギー　**Part 2 まとめ**

知ることから始める エネルギー問題

文・コスモピア編集部

環境問題・子どもの未来・技術活用が入り乱れるエネルギー問題

エネルギー利用において、環境問題を考えると CO_2 排出量削減に向けた技術導入はもはや大前提となっている。グレタ・トゥーンベリが主張するように子ども世代に残される不利益は可能な限り減らすべきであるし、そのために最も大きな CO_2 排出源である電力発電部門における再生可能エネルギーの導入拡大はやむを得ない動きである。その一方で SDG7 においては普遍的エネルギーアクセス実現も重要なテーマであり、貧困脱出に向けた経済成長のために電力自体の普及拡大も進めなければならない。

エネルギーをめぐる議論においては、CO_2 排出量削減と普遍的エネルギーアクセス実現の双方を意識する必要がある。

しかしエネルギーについての議論は、その利用方針だけに留まらない。バイオマス発電や超電導技術など、登場するエネルギー関連技術がどのように活用されるものなのか、そしてどのくらい環境に優しいかも注視する必要がある。

エネルギー関連技術は再生可能エネルギーにおける系統制約（→ *p.*99）のように、その性質上既存の供給インフラへの導入が難しい場合もある。また、極端な燃料採取によりかえって環境破壊を進めてしまう可能性があるバイオマス発電のように、注意しなければ自然破壊を進めてしまいかねない場合もある。

単純な技術礼賛に留まらず、どのように使われる技術なのか、どのように環境負荷を軽減させるのか、その筋道をきちんと理解をしておくことも持続可能なエネルギー供給の実現のためには必要だ。

エネルギー問題に対して私たちができること

エネルギー関連で私たちができることはそう多くはない。再生可能エネルギーを使えるかどうかは電力会社次第であるし、スマートグリッドも地域ぐるみでの導入が進まなければ、HEMS（→ *p.*106）を導入したところでその効果は限定的なものにしかならない。エネルギー利用において、私たちはどうしても受け身にならざるを得ない部分が多い。

しかし、能動的にアクションを起こせる部分ももちろんある。使用する電力会社やプランを再生可能エネルギー導入量の観点から選ぶというのも立派な一つの手段だ。既に私たちは、再生可能エネルギー発電促進賦課金の支払いという形で再生可能エネルギーの普及に一役買っているが、消費者がサービスとして再生可能エネルギーを選択することは普及に向けたさらなる応援につながる。

またエネルギー節約に継続的に取り組むのも重要だ。実は 2005 年をピークに、日本全体のエネルギー消費量は年々減少している。2020 年からのコロナ禍のように節電とは異なる要因での消費減少も存在するが、一人ひとりがエネルギーの節約を意識することは決して無駄にはなっていない。

また、自分が住む場所の近くで行われる発電所建設計画などの環境アセスメント（環境影響評価）に目を向けるのも良いかもしれない。環境省が公開する「環境影響評価情報支援ネットワーク」の「環境アセスメント事例」（http://assess.env.go.jp/2_jirei/index.html）のページでは、全国で行われている環境アセスメントの事例を閲覧することができる。パブリックコメントの募集期間であれば自身の意見を投稿するのも良いだろうし、同じサイトで公開されている環境影響評価図書を見ればどのような評価が行われたのかを見ることができる。

とはいえ評価図書は専門家向けに書かれたものがほとんどで、気軽に読めるようなものは少ない。カーボンニュートラル実現のために再生可能エネルギーの導入が急がれる中環境アセスメントの実施件数増加が予想されており、環境影響評価図書を作成する事業者側での意識改善が待たれている。

エネルギー問題に対して、私たち一人ひとりが及ぼせる影響はとても小さなものだ。しかしその対策の状況について知ることは案外簡単にできるものなのだ。エネルギー問題について私たちが本当に求めるべきなのは、その取り組みについてのわかりやすい情報公開なのかもしれない。

Exercise 思考問題 2 環境問題とエネルギー

1. エネルギー関連技術について、この Part 2 で紹介したものに限らず、環境保護の観点から自分が注目している技術をあげ、それに注目する理由を英語で述べよ。

解答・解説は→ p.194

2. Part 1 と Part 2 の解説を踏まえ、気候変動（climate change）の解決と電力の普遍的アクセス（universal access）実現のどちらを優先するべきか、重視したポイントに触れつつあなたの考えを英語で述べよ。

Part 3 Economy

環境問題と経済・ものづくり

近くて遠い経済と、環境問題の関わり

経済とものづくりは、環境問題と私たちの暮らしの間に存在するものだ。またエネルギー問題と比べ、私たち一人ひとりの改善意識がより反映させやすい領域でもある。実体経済と金融経済において、環境問題はどのように取り組まれているのだろうか。

photo: Thithawat_s/iStockphoto

経済の基盤となる資源とお金に関する話題を理解しよう

Part 1で紹介した環境問題に関係するのはエネルギーだけではない。自然から採取され、ものづくりを含むさまざまな行程を経てお金に換えられる資源も、環境問題に関係する要素の一つだ。資源採取時点での環境破壊だけでなく、資源の運搬や製品加工における環境負荷、また消費後に生じる廃棄物の発生など、気にすべき範囲の広さはエネルギー以上である。

このPart 3ではSDG12に関連した、資源にまつわる環境問題とそれらへの取り組みに加え、資源が関わる実体経済と対をなす金融経済での取り組み、具体的にはESG投資について解説する。資源の流通過程で生じる環境負荷の多くは産業由来であり、その産業を動かす要素の一つである投資領域での取り組みも、環境問題対策として重要な要素である。

環境負荷に直接的に関わる実体経済とその主役である企業を取り巻く金融経済が進める取り組みを理解することで、環境問題に対して企業が目指す方向が見えてくるはずだ。

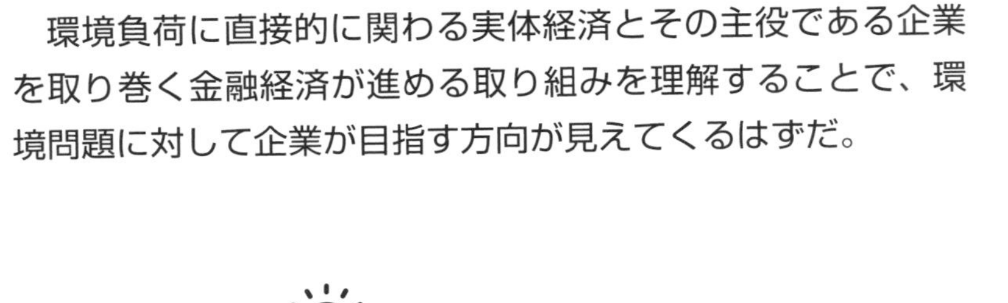

イラスト：MicrovOne/iStockphoto

ものづくりと環境負荷

文:南齋 規介(国立環境研究所 資源循環領域 国際資源持続性研究室 室長)

物質フローで見る環境との接点

日本国内の**天然資源採取(natural resources extraction)**、及び**輸入された資源や製品(imports)**等の**物質投入(material input)**総重量は、**2018年度の1年間で約18億トン**に上る。これらの投入された物質を加工していくことで経済活動が行われている。

投入された物質のうち約4.9億トンは道路や橋、住宅や自動車となり社会に**蓄積(stock)**されていく。また約0.8億トンは食料として消費され、さらに約1.8億トンが製品として輸出され国外へ出ていく。こうして蓄積・消費・輸出されなかった約10.5億トンのうち、約5億トンは**環境放出物(environmental discharge)**として大気、水、土壌の環境中に放出される。そして最後に残った約5.5億トンは、**廃棄物(waste)**として処理される。またこの廃棄物のうち約2.4億トンは**再資源化(recycling)**され、資源として再投入されている。この2.4億トンを含めた約18億トンの資源が、私たちの社会を巡っていたのである。

このように、社会に投入された物質がどのように利用されて社会に蓄積・廃棄されていくか、その一連の流れを概観したものを**物質フロー(material flow)**と呼ぶ。上で述べた日本の物質フローを見ると、「ものづくり」による資源活用(約7.5〔4.9+0.8+1.8〕億トン)には、それ以上の重さ(約10.5億トン)の環境放出物と廃棄物の発生を伴うことがわかる。

この環境放出物には多様な物質が含まれている。二酸化炭素といった温室効果ガスとして地球環境に**人為的な（anthropogenic）**負荷を与える物質だけでなく、**$PM_{2.5}$（particulate matter 2.5、空気動力学径 2.5 マイクロメートル以下の微小粒子状大気汚染物質）**、**重金属（heavy metal）**や**有害化学物質（hazardous chemicals）**等、直接的に人々の健康に被害を与える物質が存在している。

しかし、経済活動が環境に負荷を与える機会はこれだけではない。先に見た 18 億トンの物質投入のうち、天然資源に乏しい日本は約 7.6 億トンを海外から輸入している。そのうち、石油や石炭などの**化石資源（fossil resources）**、鉄鉱石などの**鉱物資源（mineral resources）**、木材などの**森林資源（forest resources）**を含む天然資源の輸入が約 6.9 億トンと大半を占めている。残りは自動車や衣類、食品など製品として輸入されたものだ。

図 3-1. 物質フロー

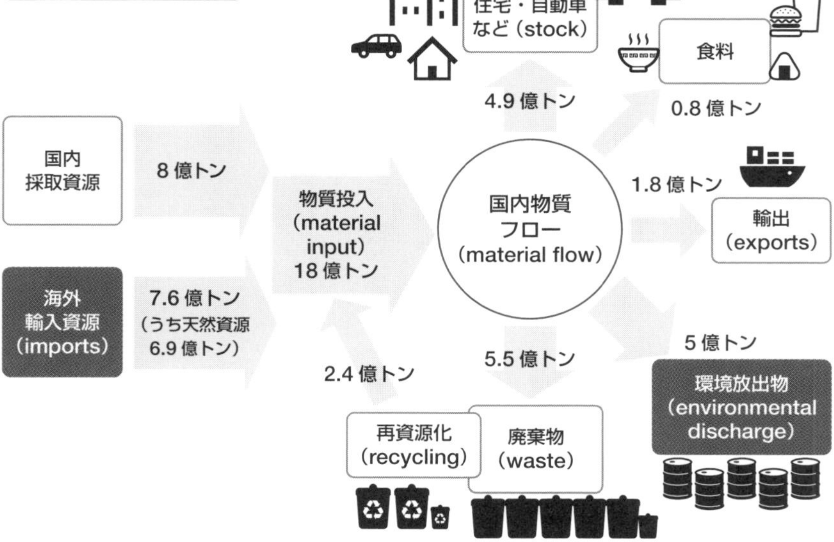

数値は環境省ページ「令和３年版　環境・循環型社会・生物多様性白書　状況第２部第３章第１節　廃棄物等の発生、循環的な利用及び処分の現状」（https://www.env.go.jp/policy/hakusyo/r03/html/hj21020301.html）より引用

輸入元での鉱物資源や森林資源の獲得には、大規模な**土地改変**（land use change）や**森林伐採**（deforestation）を必要とし、その場所によっては**絶滅危惧種**(threatened species)の**生息域消失**(habitat loss）を招く。また食料や食品の輸入は、農地の拡大による土地改変の他、水資源の乏しい国の**淡水**（freshwater）消費を加速させてしまうこともある。つまり日本の「ものづくり」の原材料となる輸入品は、海外で生じる環境負荷の牽引役となっているのだ。

地球の環境負荷限界点と、人の健康

生産活動により生じる環境負荷は広くさまざまな領域に及んでいる。しかし現在の環境科学では、ヨハン・ロックストローム氏らが2009年の論文で提唱した**「プラネタリー・バウンダリーズ」**（planetary boundaries）という概念において、9つの環境領域の管理が最も重要と指摘されている。プラネタリー・バウンダリーズは、**地球の環境負荷が許容できる限界点を示し、その限界を超えることは人類の安定的存続を脅かすと警告する**ものだ。

9つの領域とは、①気候変動、②生物多様性の損失、③栄養塩（窒素とリン）負荷、④海洋酸性化、⑤土地利用変化、⑥淡水利用、⑦成層圏オゾン層、⑧大気中エアロゾル（$PM_{2.5}$）濃度と⑨新規化学物質の環境放出を指す。最初の7つは限界点が算定されているが、現在そのうちの2つ、②生物多様性の損失と③栄養塩負荷の中の窒素負荷は既に限界を超えており、**気候変動と土地利用変化は限界値に近い**と評価されている。

一方、人の健康に焦点を当てる医学からも、**プラネタリー・ヘルス**（planetary health）という概念が2015年にロックフェラー財団と医学雑誌ランセットで発表された。この発表を端緒として、**人間の健康と文明社会の維持には地球環境の健康が不可欠だ**との体系的な理解が深まってきている。また世界保健機関（WHO）の報告では、生活習慣（高血圧、喫煙、高血糖、肥満、高コレステロール）に続く6番目の死亡リスクとして、大気中の$PM_{2.5}$の**曝露（exposure）**があげられている。主に**呼吸器系（respiratory）**や**心血管系（cardiovascular）**疾患の誘引により世界で年間約400万人の**早期死亡者（premature deaths）**が生じているのは、地球環境が人々の健康に大きく作用する実態を示すものだ。

「プラネタリー・バウンダリーズ」で定義された環境領域の悪化は、例えば気温上昇に伴う熱中症の増加やマラリア感染域の拡大、淡水不足による衛生的な水利用の制限につながっている。つまり、人々の健康状態にさらなるリスクを生み出すものとして帰結しているのだ。今や経済活動は**付加価値（value-added）**を生み出すだけの役割は終え、限界に近づく地球環境とともに人の健康の未来を担うものとなっている。

図3-2. プラネタリーバウンダリーズ

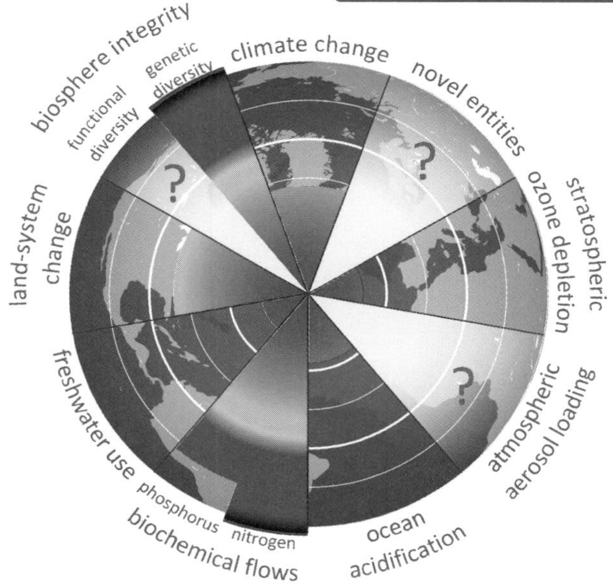

画像：Wikimedia Commonsの「Planetary Boundaries 2015.svg」（Ninjatacoshell氏作成）を元に編集部作成

社会問題の限界点：ドーナツ経済

さらに経済学からは、上限値を超えてはいけないプラネタリー・バウンダリーズに加え、下限値を下回ってはいけない社会的基盤のバウンダリーズの存在に目を向けている。

オックスフォード大学の経済学者であるケイト・ラワースは自身が2012年に発刊した著書 *Doughnut Economics*（邦題『ドーナツ経済』黒輪篤嗣訳、河出文庫）の中で、食料･住居などの物的基盤、健康･教育などのサービス基盤や正義・公正・平等などの倫理的基盤に触れ、プラネタリー・バウンダリーズを超えず社会のバウンダリーズを下回らない経済モデル、**ドーナツ経済（doughnut economics）**へと転換する必要性を述べた。

図 3-3. ドーナツ経済

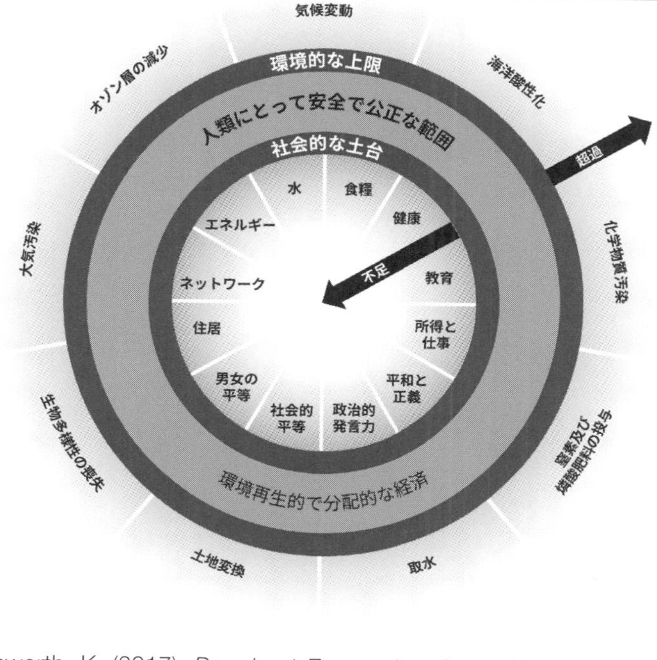

画像：Raworth, K. (2017), *Doughnut Economics: Seven Ways to Think Like a 21st-Century Economist.* London: Penguin Random House. より引用

生産活動が社会にもたらす影響として従来から指摘されているのは、労働問題を中心として、児童労働・強制労働・社会保障のない危険労働の横行である。これらの問題は特に途上国における農業や建設業で散見され、貧困や教育を受ける機会の剥奪にもつながっている。

また平和維持へ悪影響を与える生産活動の存在も問題視されている。例えば、コンゴ民主共和国とその周辺地域を原産地とする４種の鉱物（**スズ〔Tin〕**、**タンタル〔Tantalum〕**、**タングステン〔Tungsten〕**、**金〔Gold〕**。頭文字を取って**3TG**と呼ばれる）は**紛争鉱物（conflict minerals）**としても知られ、その採掘が武装勢力への資金源となる懸念から米国と欧州ではあらゆる産業での使用が規制されているのだ。

さらに金については、**ASGM（Artisanal and Small-scale Gold Mining）**と呼ばれる一部途上国で見られる小規模金採掘での水銀利用が、労働者の健康被害と周辺環境の**水銀汚染（mercury pollution）**を起こしていることも問題となっている。

途上国における多くの課題は、対策する資金も技術も乏しいことからその自助努力だけでは改善は見込めないのが実状だ。その状況下では、経済的、技術的に優位な立場にある先進国との協働が、ほぼ唯一の突破口と言っても過言ではない。

スマートフォンをはじめとした電子機器類に使用されることが多い3TGは、紛争鉱物として米国・欧州で使用が厳しく規制されている。さらにその中の金は、採掘による健康被害や環境汚染が大きな問題となっている。
（photo: KrimKate/iStockphoto, monsitj/iStockphoto）

環境負荷はグローバルな視点で見る

2015 年に持続可能な開発目標（SDGs）が国連加盟国に共有され、人類社会の持続可能性の基盤となる環境と社会の課題が学術的にも強調される今日、ものづくりの責任を国内で閉じず、グローバルに果たしていくことがますます期待される。

先に述べた通り、日本の経済活動は物質フローとして約 7.6 億トンの輸入品を利用している。この輸入品のサプライチェーンを通じて生じる環境負荷と社会影響に対して目を瞑ってしまえば、日本の途上国との協働の機会は消え、途上国に偏る負荷が継続してしまうのだ。先進的な企業の中には、**スコープ 3（Scope 3）**と呼ばれる**企業活動の国内外のサプライチェーンを通じた温室効果ガス排出量・水消費量・森林利用の開示（disclosure）と削減**に取り組む企業も存在する。中小企業を含め、こうしたサプライチェーンの環境管理責任が浸透することはもちろんのこと、プラネタリー・バウンダリーズへの拡張と社会影響の包含が期待されている。

スコープ 3 ではサプライチェーンを対象に、そこで生じた環境負荷を計測する。温室効果ガス排出量の場合は、原材料や製品の輸送、また従業員の移動などによる排出が対象となる。（photo: liorpt/iStockphoto, Tryaging/iStockphoto, TokioMarineLife/iStockphoto）

プラネタリー・バウンダリーズに対しては、企業活動に対する物質フローと環境負荷の発生との**分離（decoupling）**を進めて、環境負荷を減らすことが必要となる。特に途上国で環境対策が進んでいない場合はこの分離の余地は大きく、技術的な対策の導入が有効な手段となる。しかし日本のように**技術的対策が既に進み、技術進歩による分離の余地が限られる場合は、物質フローの抑制が鍵**となる。いかにサプライチェーンを通じた物質消費を削減できるかが、今後日本の環境管理における最も重要な課題となるのだ。

物質フローを変える仕組み、サーキュラーエコノミー

物質消費の削減には、修理をして製品を長く使う、シェアリングやレンタルにより製品の利用率を上げる、使用済み製品を適切にリサイクルするといったことが貢献する。特に欧州では**「サーキュラーエコノミー」（circular economy）**と呼ばれる、資源の消費よりも資源の循環のほうにより価値を置いた経済システムの構築に向けて経済の物質フロー改革が始まっている。

しかしそれと同時に、人類の安定的存続に要求される物質フローの改革は非常に厳しいレベルであることが指摘されている。例えば高所得国において、自動車、住居、家電製品や橋などで使われている金属資源の量は、現在**一人当たり 12 トン**にもなるとされている。気候変動をプラネタリー・バウンダリーズの内側に抑えようとした場合、筆者らが行った分析では 2100 年までにこの量を 7 トンまで下げる必要があるとの結果を得た[※1]。今の世界平均は一人当たり 4 トンであるため、7 トンというのは必ずしもこれまで人類が経験したことがないほどの量ではない。しかし高所得国である日本で暮らす私たちにとって

※1 Takuma Watari, Keisuke Nansai, Kenichi Nakajima (2021) Contraction and convergence of in-use metal stocks to meet climate goals. *Global Environmental Change*, 69, 102284.

は、かなり大きな変化である。

高度成長期時代、日本での経済活動は国内で**公害（pollution）**問題を引き起こしはしたが、国内の政策と工場の対策技術により物質フロー増大と汚染物質発生との分離に成功した。しかし持続可能性と SDGs という言葉が定着した今、経済活動は国内だけでなく国外にもサプライチェーンを通じてつながっており、広範な環境問題と社会問題に対して責任が問われている。これらの問題の中には、その影響が国外または未来といった、**日本国内で今を生きる私たちが知覚することが難しい形で顕在化するもの**も含まれている。そしてこれらの問題の解決には、先に述べたように大幅な消費資源量の削減が必要とされているのだ。

このように**問題の喫緊性を感じるのがとても難しい一方、解決のために経済活動に対して要求される改善レベルがとても高い**ことが、現代の経済に関連する環境問題の特徴だ。

図 3-4. 公害と現代の環境・社会問題

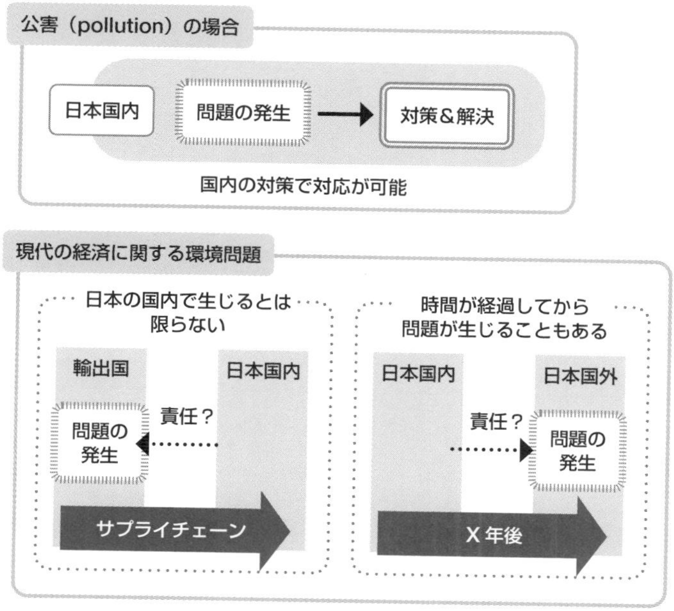

環境問題とお金の動き

文：コスモピア編集部

お金は環境問題を解決するのか

「SDGs」が流行りだしたのと前後して、**ESG 投資（ESG investing）**という言葉聞くようになった、という方は多いのではないだろうか。「ESG」は**環境（Environment）・社会（Society）・企業統治（Governance）**の３つの頭文字から取られており、それぞれ気候変動といった環境問題や、児童労働などの社会問題、また企業腐敗などの企業統治にまつわる問題の３つを指す。投資先企業の選定や自身の投資資産構成について、この３要因を考慮するのが ESG 投資だ。

図 3-5. ESG 投資

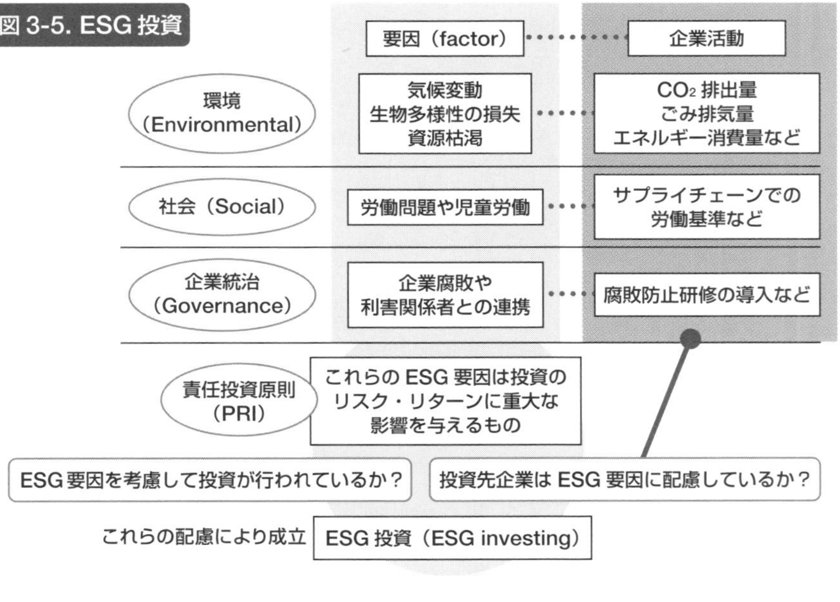

「投資」と聞くと、自分とは縁遠いように感じる方も多いのではないだろうか。また何かしらの形で投資をしたことがあっても、そういった投資活動で本当に企業が環境問題の解決に動くのか、疑問に思う方も多くいるはずだ。しかしESG投資はただのバズワードではなく、現在進行形で仕組みづくりが進められている投資の方法である。

ESG投資を始めとして、スチュワードシップ・コードやTCFD提言、PRIなど、環境問題に関係するお金の議論・取り組みはさまざまあるが、①消費者と企業間、②企業と**機関投資家（institutional investor）**間、③機関投資家であるアセットマネージャーとアセットオーナー間、そして④企業と銀行間の、それぞれの主体間における議論・取り組みに大別できる。消費者と企業間での議論、具体的にはエシカル消費については別途 *p.*170 で解説するため、本節ではそれ以外、すなわち投資や金融に関連する議論や取り組みについて取り上げたい。

図 3-6. 環境問題に関係するお金のやりとり

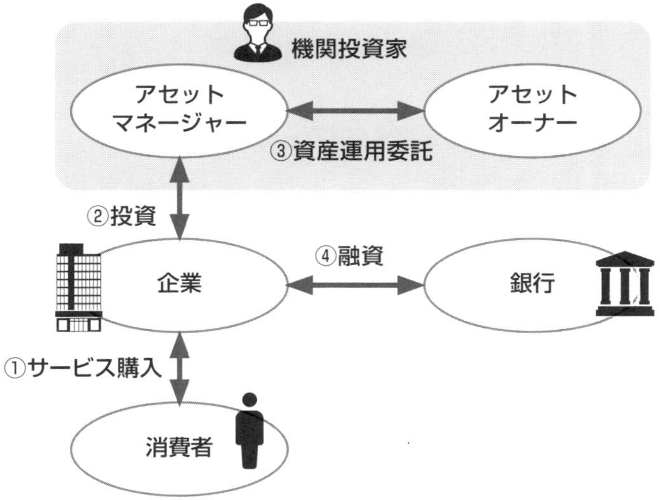

これらの議論・取り組みが進められている理由の一つに、地球温暖化防止に必要な資金を国家予算だけでは賄うのが困難だという問題がある。例えばIEA（国際エネルギー機関）の試算によれば、温室効果化ガス排出量実質ゼロのためには現在世界規模で行われているエネルギー関連の投資を、年間2.3兆ドルから2030年までに5兆ドルまで増加させる必要がある。2017年度の世界国家予算合計がおおよそ21兆ドルであることを考えると、その25%にあたる予算を再生可能エネルギーに回すのは現実的に難しいだろう。

この予算不足をカバーするために、2020年度には約100兆ドルあるとされた世界資産運用市場を始めとした投資・金融資産を動かそうとさまざまな規制や投資誘導が進められているのだ。

責任投資原則と社会的責任投資

まずは企業と投資家間での取り組みを見ていこう。

企業と投資家間における環境問題解決に向けた資金の動きを作る取り組みの一つとして、2006年に当時の国連事務総長**コフィー・アナン（Kofi Atta Annan）**が提唱した**責任投資原則（Principles for Responsible Investment: PRI）**があげられる。これは投資家の**意思決定（decision making）**にESG課題の解決を盛り込むことを求めるもので、現在のESG投資の流れを作る原則である。

このPRIは投資や金融におけるESG投資誘導の中で最も早く打ち出された取り組みだが、その背景として**社会的責任投資（Socially Responsible Investment: SRI）**が以前から進められていたことが大きい。

SRIは、1920年代にアメリカやイギリスで行われた**「罪ある株式」（sin stock）**の**ネガティブスクリーニング（negative screening）**

を起源としている。酒や煙草、ギャンブルなどキリスト教の教義にそぐわない事業に関わる企業の株を「罪ある株式」とみなし、たとえ大きな利益が出るとしても投資の対象にはされなかった。

このように宗教的な背景の元、個々人が行う活動としてはじまったSRIだが、1960年代にはアメリカのベトナム反戦運動で軍需企業への投資を取りやめたり、株主として企業の社会的責任を問うなど、一種の連帯感の元、集団としてSRIを進めていくといった動きも広がっている。1980年代以降はオゾンホールの発見や地球温暖化など世界レベルでの環境問題対策が進むにつれて、環境問題対策もSRIで注視されるようになった。2006年提唱のPRIは、こういった企業へのアクションとしての投資活動の流れを汲んだものである。

ESG投資のための情報づくり

PRIに基づくESG投資は主に投資側で行われる取り組みだが、ESG投資を進めるためにはどこに投資するべきかの情報も必要だ。これまで作られてきた情報は、投資する側で作られるものと投資される側、すなわち企業側で作られたものの2種類に大別される。

投資する側での情報づくりは早くから行われており、**投資ファンド（investment fund）**の形成や**株式市場指数（stock market index）**の作成といった形が取られている。

投資ファンドは投資家から集めた資金をファンドマネージャーが運用する仕組みで、SRIに関連する投資ファンドとしては1928年にアメリカで作られた投資信託（投資ファンドの一種）"Pioneer Fund"が最初のものだ。1971年にはベトナム戦争に関わる企業への投資を避ける投資家向けに "Pax World Fund" が設立されるなど、ESG投資に必要な企業情報の収集が今よりも難しかった時代にはそのニーズに応えるものとして投資ファンドが作られていった。1965年には、スイスでヨーロッパ最初のSRI投資ファンド“Aktie Ansvar Myrberg”が作られている。日本の最初のSRIファンドとしては、1999年に作られた「日興エコファンド」が知られている。

こうしてSRIへの投資がより広まっていき、1990年には最初のSRI株価指数、Domini 400 Social Indexが作られた。近年はMSCIやS&P Globalのように、ESGの観点で企業を個別に評価する**ESG格付け（ESG rating）**を行う機関も登場している。

一方、企業側が開示するESG情報については、近年サステナビリティレポートや統合報告書といった形で**非財務情報（non-financial information）**の開示が進みつつある。

ESGに関する報告書を作成するときは、さまざまな団体が作成・公開している報告枠組みを使うのが一般的だ。例えば、2000年にGlobal Reporting Initiativeが公表したESG全般に関する報告のフレームワークであるGRIスタンダードや、2017年に**気候関連財務情報開示タスクフォース（Task force on Climate-related Financial Disclosures: TCFD）**が公表した、気候変動によるリスクを財務情報に組み込む**TCFD提言（TCFD Recommendations）**がよく知られている。またEUでは、2014年に公表された**非財務情報開示指令（Non-Financial Reporting Directive: NFRD）**を2019年に**企業持続可能性開示指令（Corporate Sustainability Reporting Directive: CSRD）**に改訂し、これをEU内のすべての企業に適用させる動きが進んでいる。日本でも、コーポレートガバナンス・コードにより上場企業へのESG情報の開示が義務付けられている。

またESG情報を非財務情報として開示するだけでなく、財務情報にも反映させるための基準づくりも進み始めている。現在、グローバルな会計基準として**国際財務報告基準（International Financial**

Reporting Standards: IFRS)がおよそ120カ国で採用されている。各国間で統一した会計基準を用いることで、海外企業や投資家とのコミュニケーションを円滑にするのがこの基準の目的だ。これにESG要因を組み込んだ会計報告基準を作るため、**サステナビリティ基準審議会（Sustainability Standards Board: SSB）**の設置が2021年4月に発表されている。ESG投資が年々拡大していく中、**グリーンウォッシング（greenwashing、→*p.*157）**などのごまかしを回避しつつ、企業のESGへの取り組みを評価できる会計基準のニーズも高まっており、基準作成に向けた今後の動きが注視される。

図 3-7. 投資のための情報づくり

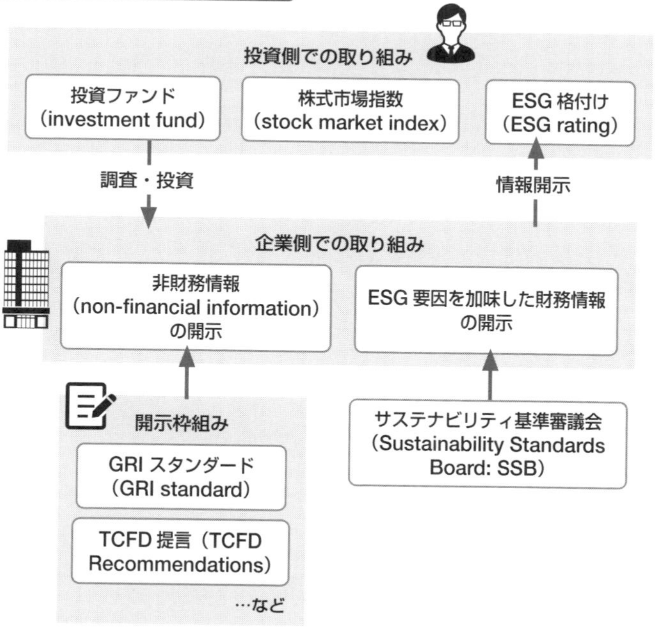

アセットオーナーとスチュワードシップ・コード

投資を行う主体の一つである機関投資家は、資産を保有するアセットオーナーと、その資産を委託されて運用するアセットマネージャーの２つに分けられる。企業情報を集めて資産運用を行うのがアセットマネージャーで、その運用方針を決めるのがアセットオーナーだ。

ESG 投資の展開にあたっては、アセットオーナーがその重要性を理解し、アセットマネジャーにそれを伝えていく必要がある。*p.*130紹介した 2006 年の責任投資原則（PRI）は、その署名によりアセットオーナーが ESG 投資を重視していくことの意思表示に使われるものだ。アセットマネジャーにとっても、PRI への署名は自身が ESG 投資を重要視していることを示すものとなる。日本では 2015 年に世界最大のアセットオーナーである**年金積立金管理運用独立行政法人（Government Pension Investment Fund: GPIF）**が PRI に署名したことで、その資金を受け取るアセットマネージャーにとって ESG 投資の重要性は増しつつある。

また、PRI はアセットマネージャー・アセットオーナーを問わず署名者への ESG 投資へのコミットを求めるものだが、その実践をより確実にするために近年**スチュワードシップ・コード（stewardship code）**の策定、そして同コードの各機関投資家への受け入れも求められ始めている。スチュワードシップ・コードは、アセットマネージャーに**受託者責任（stewardship）**の履行、ESG に関して言えば投資先企業との積極的対話や、運用に関する ESG 投資方針の説明責任などを求めるものだ。日本では 2014 年に「日本版スチュワードシップ・コード」が策定され、2020 年の改訂で ESG 要因への考慮義務が追加された。

このように、環境問題を含めたさまざまな社会問題を、投資を通じて解決しようというESG投資は種々の方法で具体化、またルール化されていっている。2019年にEUが発表した**欧州グリーンディール（European Green Deal）**でも、企業の非財務情報開示の規制強化や、**EUタクソノミー（EU taxonomy）**、すなわちESGを考慮した企業分類の構築等が目指されている。また2019年には**責任銀行原則（Principles for Responsible Banking: PRB）**が**環境計画金融イニシアティブ（UNEP FI）**より公表された。PRBには日本の大手銀行も署名しており、今後銀行から企業への融資にもESG要素が考慮されるようになっていくだろう。

企業にとって重要な投資や金融といったお金の流れにESG要素が考慮されるようになることで、企業活動による環境負荷の軽減や、より環境に優しいサービスの開発・流通が増加することが期待される。

図 3-8. ESG配慮に向けたお金をめぐる取り組み

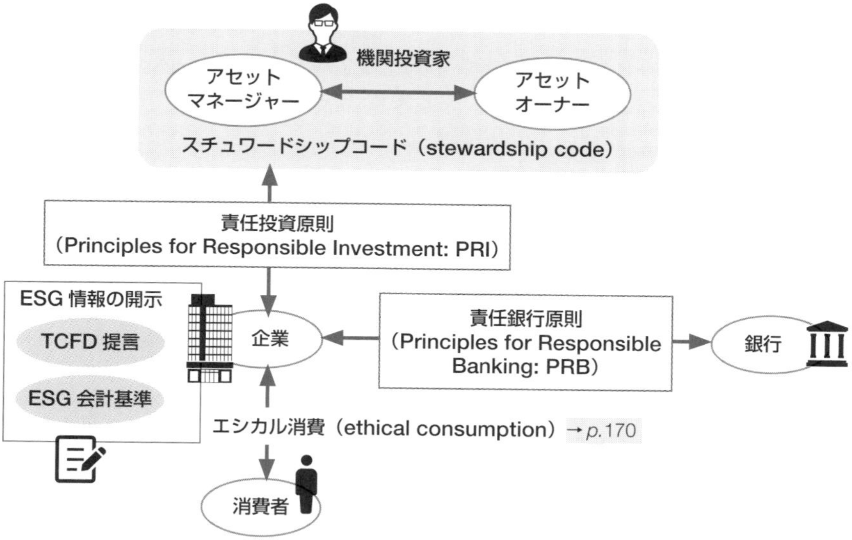

Section 2

環境問題と経済・ものづくり 年表

経済と環境との関連が意識され始める	
1970	世界 ミルトン・フリードマン「企業の社会的な責任は利益の増大である」を提出 日本 「公害国会」（第 64 回臨時国会）開催、公害対策関連法が可決される
1972	世界 ローマクラブ、『成長の限界』の報告書を提出
1975	世界 EC、廃棄物枠組み指令採択
1984	世界 **南極オゾンホールの発見が報告される**
1985	世界 **「オゾン層の保護のためのウィーン条約」採択**
1987	世界 **ウィーン条約にもとづき、オゾン層を破壊する物質に関するモントリオール議定書採択**
1992	世界 国連環境計画・金融イニシアティブ（UNEP FI）設立
1993	世界 国際標準化機構（ISO）、環境マネジメントに関わる規格の検討開始（ISO14000 シリーズ） 日本 環境基本法成立
1997	日本 経団連「経団連 環境自主行動計画」を発表 世界 アメリカのラウンドテーブル、企業統治に関する声明を発表：「企業は主に株主のために存在する」と宣言
1999	日本 日本最初の SRI 投資信託「日興エコファンド」が開始
環境対策に向けた包括的な経済規制が始まる	
2000	世界 アナン国連事務総長、「ミレニアム報告書」提出
2004	日本 環境配慮促進法の施行（特定事業者に環境報告書の公表を義務付け）
2006	世界 **国連、責任投資原則（PRI）を発表** 欧州 欧州投資銀行、グリーンボンドを発行 欧州 EU、REACH 規則と RoHS 指令発表：電子機器への化学物質使用規制
2007	世界 UNEP、国際資源パネル（IRP）を設立
2008	世界 イギリス、気候変動法策定：温室効果ガスに関する報告書の公表を義務付ける 世界 EU 域内排出量取引制度（EU-ETS）の第2フェーズ開始（～ 2012）、航空業界を強制課金対象に
2009	世界 **プラネタリーバウンダリーの考え方が初めて提唱される** 日本 経団連、「経団連 低炭素社会実行計画」を公表

2011	世界 国際資源パネル、『デカップリング　天然資源利用・環境影響と経済成長との切り離し』を公表 世界 サステナビリティ会計基準審議会（SASB）設立
環境対策と経済成長を結びつける動きが強まる	
2012	世界 **国連持続可能な開発会議（リオ＋20）で「我々の求める未来」採択：グリーン経済の推進を求める**
2013	欧州 イギリスのキャメロン首相、首脳国会合でインパクト投資の重要性を訴える 日本 環境省、一般社団法人グリーンファイナンス推進機構を設立
2015	欧州 **EU、循環型経済政策パッケージを発表** 日本 **年金積立金管理運用独立行政法人（GPIF）が投資責任原則に署名** 世界 気候関連財務情報開示タスクフォース（TCFD）設立 日本 コーポレートガバナンス・コードが導入、ESG の尊重が求められる
2017	世界 **TCFD、TCFD 提言を公表：企業の財務に影響を与える気候関連の情報開示を求める** 世界 気候変動リスク等に係る金融当局ネットワーク（NGFS）創設 日本 環境省、グリーンボンド発行ガイドラインを制定
2018	欧州 EU、循環型経済における欧州プラスチック戦略を発表
2019	欧州 **EU、欧州グリーンディールを発表** 世界 **アメリカのラウンドテーブル、企業統治に関する声明を発表：企業の目標は全利害関係者との長期的な関係を築くことにあると宣言** 世界 UNEP FI、責任銀行原則（PRB）を作成：銀行の戦略・実務が SDGs やパリ協定の目標と合致することを求めた 世界 大阪 G20 サミット開催：海洋プラスチックごみ対策実施枠組などが採択 世界 UNEP FI がレポート「21 世紀の受託者責任（最終版）」を提出：受託者責任として ESG 要素の考慮を求め、それが経済的なリターンにつながることも指摘。 欧州 イギリス、カーボンニュートラルを法定目標化
2020	世界 **BIS、レポート「グリーン・スワン（緑の白鳥）」を発表：気候変動による金融危機に、既存の金融システムは耐えられないことを発表** 欧州 EU、循環型経済行動計画を発表 日本 12 月、「2050 年カーボンニュートラルに伴うグリーン成長戦略」を発表

指標で追う資源の流れ

文：南齋 規介（国立環境研究所 資源循環領域 国際資源持続性研究室 室長）

日本における物質利用の全体像を示す物質フローは、循環型社会形成推進基本法（以下、循環基本法）に基づく**循環型社会形成推進基本計画**（以下、循環基本計画）において推計され、毎年の環境白書に掲載される。物質フローの「入口」「循環」「出口」の３点に着目した指標を物質フロー指標として掲げ、循環基本計画において達成目標を設定することで日本の循環型社会の進展を後押しするのが狙いだ。

図 3-9. 物質フロー指標の構成

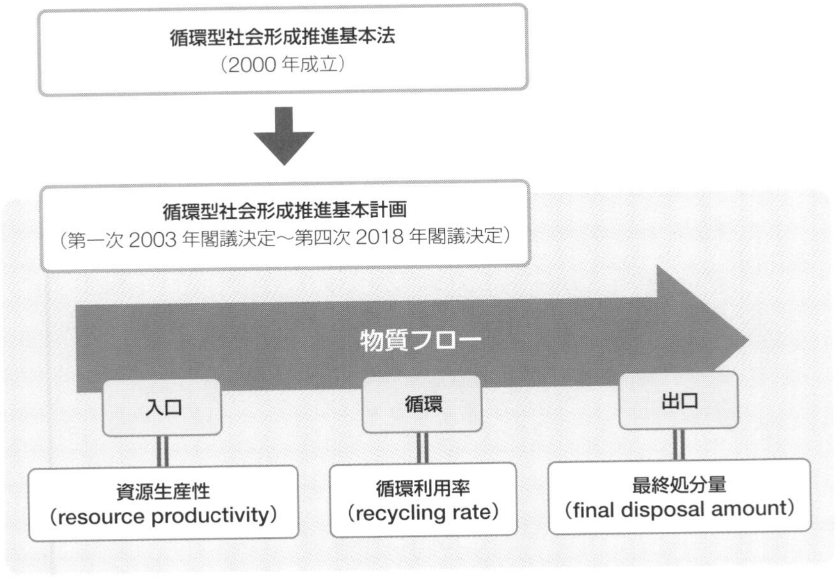

物質フローの入口「資源生産性」

入口の指標は**資源生産性（resource productivity）**と呼ばれる。年間の国内総生産（GDP）を国内の資源採掘量と輸入した資源と製品の総重量で割った値で、1トンの重さの物質を投入したのに対してどれだけ経済的な付加価値を生み出したかを測る指標である。**2025年度までの目標値は49万円／トン**に設定されている。2018年度の実績は42.3万円／トンのため、目標達成のためには1トンの物質の価値を約1.16倍（=49/42.3）に上げる必要がある計算だ。

しかし「価値を上げる」ことに意識を取られて高く売れるものを作ることに邁進してしまい、結果として物質利用が増えてしまっては意味がない。循環基本法の趣旨は資源消費の抑制のため、2025年度までの目標に向かって**1万円のGDPを得るのに必要な物質量を約0.86倍（1/1.16）に下げる必要がある**と理解するほうが適切である。生産の無駄を無くし、より少ない物質の量で同じ物が作れるようにしていくことが王道の対策となる。

図3-10. 資源生産性の考え方

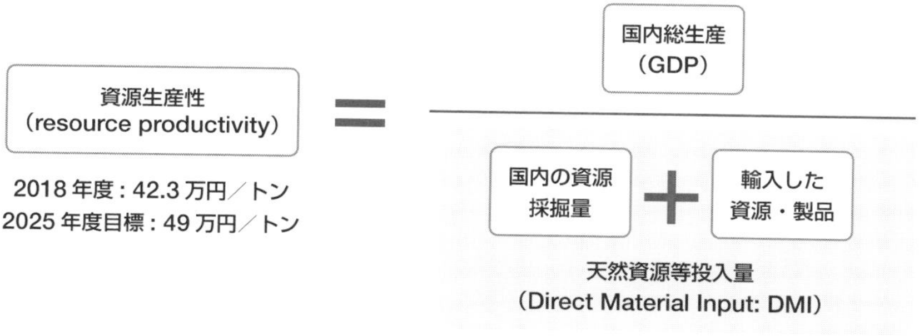

➡ GDP自体の向上ではなく、**1万円のGDPに必要な資源消費量の削減が重要**

一方、資源生産性の算出時にリサイクルされた物質の使用量は分母に含まれないため、別のアプローチで改善することもできる。それは、国内採掘または輸入された一次資源を使用することから、リサイクルされて再生された二次資源の使用に切り替えることである。これにより、たとえ全体の消費量が同量のままであっても、削減された一次資源の分だけ資源生産性を改善することが可能だ。

資源の循環度合いを表す「循環利用率」

循環の指標は**循環利用率（recycling rate）**といわれ、入口側と出口側の二つの指標を見るものだ。

循環入口側の循環利用率は、**日本に投入された物質量のうち何％が二次資源（循環資源〔recyclic resources〕）であるか**を示す。2018年度の推計は15.4％だが、**2025年度までの目標は18％**である。この指標を上げるには一次資源と二次資源の代替が鍵となってくる。二次資源の利用を増やしても、同時に一次資源や輸入製品の利用が増えてしまえば循環利用率は向上しない。

一方循環出口側の指標は、**発生した廃棄物のうち何％が二次資源として再利用されるか**を測るものだ。**47％までの引き上げが2025年度までの目標**だが、2013年度に46.1％まで達してからはほぼ横ばいに推移する傾向にあり、2018年度は43.6％となった。この指標の向上が難しいところは、**廃棄物の発生量を減らしながら、その中の再利用量を増やすことが求められる**点だ。この場合、**再利用が困難な廃棄物の発生自体を減らす**、つまり廃棄物の元になる商品の素材を変える、素材の需要を抑える対策が有効となる。

「最終処分量」の減量化は焼却依存

物質フローの出口の指標は、廃棄物の**最終処分量**（final disposal amount）である。**2025年度までの目標は1,300万トン**だが、2018年度には既に目標達成間近の1,310万トンとなった。これは廃棄物の焼却、粉砕、脱水等の**中間処理**（intermediate treatment）によって減量化と再資源化を進めた成果だが、この中間処理には化石燃料の消費が伴っている。現在この焼却時に生じる熱から発電することで、使用する化石燃料の有効利用が行われている。しかし再生可能エネルギーからの発電が基本となる未来においては、化石燃料が元になる発電は有効でなくなると予測される。

日本は既に、2050年までのカーボンニュートラル実現を国際社会に宣言している。国土の狭い日本にとって最終処分量の削減は確かに必要なものであるが、とはいえ**化石燃料を使う焼却依存の減量化をカーボンニュートラル社会においてどう整合させるか**、今一度考える必要があるだろう。

最終処分量の減量化は化石燃料を使う焼却に大きく依存している。廃棄物の焼却でも二酸化炭素が排出されるため、カーボンニュートラル実現を考えるとどう変わるべきかを検討する段階にある。（photo: marcobir/iStockphoto）

よりグローバルな資源負荷を表す「マテリアルフットプリント」

これまで紹介した物質フロー指標は、循環基本計画に基づいて日本国内に投入された時点の物質を対象に作られたものである。そのためこれらの指標だけでは、自動車やスマートフォンのように既に加工された状態で輸入されてくる製品が輸入前の加工過程などでどれだけ資源を消費しているかを知ることはできない。

この輸入品もすべて資源採掘量に換算し、日本が国内外を含めて必要とした資源採掘量を示した指標の一つとして使われているのが、**マテリアルフットプリント（Material Footprint: MF）**だ。フットプリントは文字通り、資源採掘から製品になるまでの**足跡（footprint）**をたどって使用された**資源採掘量で計算される指標**である。またこのマテリアルフットプリントは、SDG12（責任ある消費と生産）の進捗を観測する指標としても使用されている。

図 3-11. 物質フロー指標とマテリアルフットプリント

循環基本計画に基づく
物質フロー指標

国内採掘または輸入された段階を資源の入口とし、**資源の効率的利用（入口）、再利用（循環）の増加と最終処分量（出口）の減少を促進する指標**。輸入資源と輸入製品は日本に輸入した時点の重さで測る。

マテリアルフットプリント
（Material Footprint: MF）

直接的・間接的に必要とする資源採掘量（重量）を理解する指標。輸入資源と製品は国外で行われる資源採掘段階まで遡り、資源採掘時の重量に換算。国内採掘資源と同等に評価できる。

国連環境計画（United Nations Environment Programme: UNEP）の国際資源パネル（International Resource Panel: IRP、UNEP-IRP とも）によれば、2017 年の世界総資源採掘量は約 921 億トンである。先にあげたマテリアルフットプリントを通じて、この採掘量に日本の消費がどれだけ関与したかを知ることが可能になる。マテリアルフットプリントの算出時、日本へ輸入する製品に起因する資源採掘はすべて日本のフットプリントに含まれる一方、日本が輸出する製品に起因する資源採掘は日本のフットプリントには含まない。海外の人により消費される輸出品を除くことで、日本に住む人の消費により生じる資源採掘量のみを表すことが可能となるのだ。

日本のマテリアルフットプリントは 2017 年では 33 億トンになり、一人当たり換算では 26 トンとなる。*p*.126 で述べた通り世界の平均が一人当たり 12 トンであることを考えると、日本人はなんと世界平均の倍以上の資源を消費していることになるのだ。

図 3-12. 日本のマテリアルフットプリント

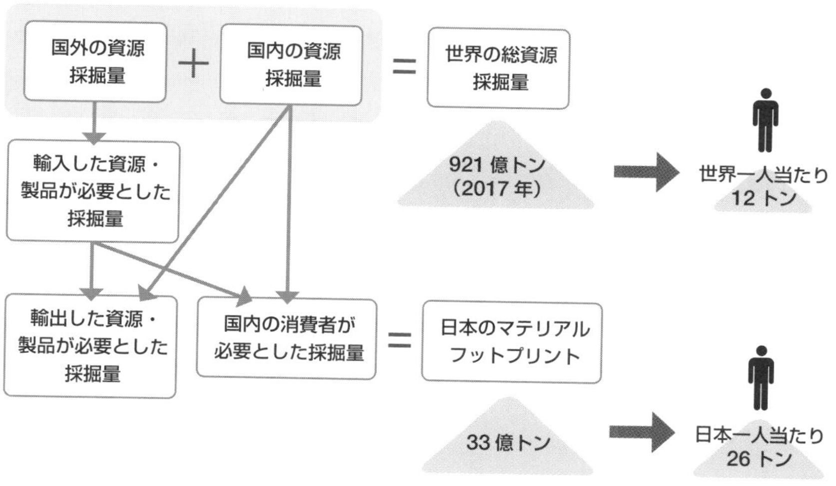

マテリアルフットプリントの計算方法

UNEP-IRP のマテリアルフットプリントは、**産業連関分析（input-output analysis）**という手法により計算されている。産業連関分析は 1936 年にハーバード大学経済学部の教授であったワシリー・レオンチェフによって開発された分析手法で、彼はこの功績で 1973 年にノーベル経済学賞を受賞している。

産業連関分析においては、産業間の需要と供給のバランスが取れた経済勘定表（**産業連関表〔input-output table〕**）を作成し、その表を用いてある産業 A の生産に必要となる他の産業 B で作られた製品の量を読み取り、さらにその産業 B の生産に必要な他の産業 C の製品の量を読み取り……といったことを繰り返し足し上げていく。これを連立方程式によって定式化することで、**ある産業の生産が他産業の生産をどれだけ究極的に誘発するか**が計算できるのだ。この特性を利用し、日本で消費者に購入された製品の生産により誘発された世界各国の資源採掘業の生産量（資源採掘量）を推計することで、マテリアルフットプリントが求められる。

UNEP-IRP が行う計算では、オーストラリアで資源採掘、中国で加工、アメリカで製品化して日本に輸入というような現代のグローバルサプライチェーンを追いかけるため、シドニー大学理学部のマンフレッド・レンツェン教授（Prof. Manfred Lenzen）らにより開発された 150 を超える国と地域を含む非常に大きな**多地域間産業連関表（multiregional input-output table）**が使用されている。

フットプリントはどうしたら減らせるのか？

世界の一人当たりのマテリアルフットプリントは、1970 年から 2017 年の半世紀弱で、7.4 トンから 12.2 トンへと 1.6 倍も増加した。増加の主要因を単純に**分解（decomposition）**すると、一つは**GDP を生み出すのに必要な資源量が増加**したこと、もう一つは**一人当たり GDP が増えた**ためである。増加要因の前者は生産者、後者は消費者の行動により変化するが、フットプリント軽減のため両者に共通して求められることは、*p*.126 で述べたような**資源消費との分離（デカップリング）**だ。

生産者側での分離にはサーキュラーエコノミー（→ *p*.126）の実践が重要となる。モノではなく機能を売り、**長期使用を支援する仕組みとサービス化を進めて資源生産性を飛躍的に高める**ことが必要だ。もとより資源消費は生産コストの一つであるため、ビジネスの方向転換というよりは徹底的な生産性強化を図ると捉えれば実践し易い。

図 3-13. GDP 成長と資源消費の分離

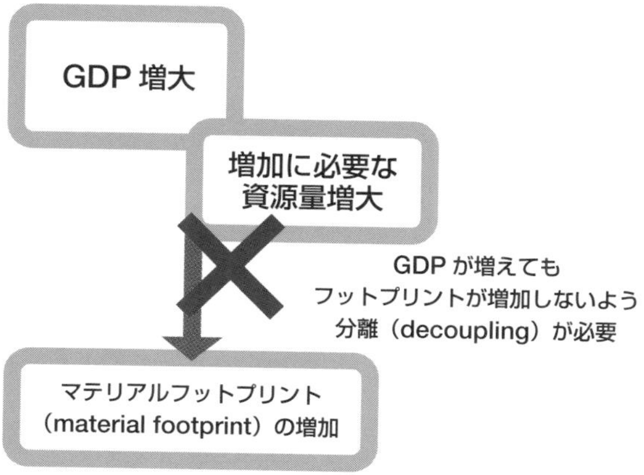

一方、消費者側での分離では大胆な方向転換が要求される。個人消費が増えればGDPは増加し、消費しなければGDPは減少する。しかし、一人当たりのGDPがしばしば**「豊かさ」（affluence）**の指標として理解されているように、GDPを増やさないという転換はまさに**パラダイムシフト（paradigm shift）**を迫るものだ。そのため今実践できることは、**物質的なものよりも魅力のある非物質的な商品の供給を生産者に求めて選択し、GDPを成長させる個人消費と天然資源消費を大胆に切り離すこと**である。

しかし最近の研究では**ゼロ成長（no-growth）**や**脱成長（degrowth）**といった、地球環境の持続可能性を求めるために「豊かさ」をGDPから切り離し、**そもそもGDPの増大を追求しない社会の形を目指す必要性**について議論されることが多いことも注目すべきだ。

フットプリントで見る世界的問題への関与

資源採掘から製品への過程を隈なくたどるフットプリント指標は、さまざまな環境影響と社会影響の評価に適用されている。中でも温室効果ガス排出量を対象とする**カーボンフットプリント（carbon footprint）**はよく知られているものだろう。

この他にも、水消費・大気汚染・栄養塩負荷・生物多様性・土地利用など、プラネタリーバウンダリーズ（→ *p.*122）で警告されている環境負荷のフットプリントの解明も進んでいる。また社会影響面では、児童労働や強制労働などの労働問題の他、紛争鉱物に関連する死亡者に関するフットプリントの算定例も作られ始めてきた。

筆者らが日本の大気汚染（$PM_{2.5}$）のフットプリントについて分析を行った結果、日本の$PM_{2.5}$フットプリントの影響で年間約4万人が早期死亡しており、うち7割以上が国外に住む人たちであることがわかった※1。確かに日本の空気は綺麗だが、世界には劣悪な空気しか吸えない国もある。この分析結果は、**日本の消費はそうした国の生産によっても支えられ、そこで生じている深刻な健康被害と無関係でない**ことを示している。

このように、フットプリントファミリーと呼ばれる各種フットプリントを通じて環境影響と社会影響を見ることで、日本国内では実感しにくい問題もグローバルに広がるサプライチェーンを通じて確実につながっていることが理解できるようになるはずだ。

図 3-14. さまざまなフットプリント

ウォーターフットプリント（water footprint）

さまざまな製品サプライチェーンでの淡水消費や水質汚染を計測するフットプリント。淡水は農地**かんがい（irrigation）**や発電所等での冷却システムで消費されるが、水源の一つである地下水の過剰利用は地盤沈下を引き起こす。また製造工場からの**廃水（wastewater）**は水環境の急速な**富栄養化（eutrophication）**を引き起こし、生態系に悪影響を与えるものだ。

生物多様性フットプリント（biodiversity footprint）

サプライチェーンでの土地利用変化や環境負荷により生じる、生物種の数の変化や絶滅危惧種への影響を計測するフットプリント。例えばマレーシアやインドネシアでのパーム油栽培に向けた土地利用変化は、オランウータンやゾウといった絶滅危惧種の生息地減少につながっている。

労働や社会的影響のフットプリント（labor footprint / social footprint）

産業がサプライチェーン上の非人道的な労働状態や賃金格差の恩恵をどれだけ受けているかを計測するフットプリント。多くの研究では、高所得地域の産業が低所得地域の非人道的な労働に支えられていることを示している。

図 3-10 は Wiedmann と Lenzen の論文※2 を参考に編集部が作成した。

※1 Keisuke Nansai, Susumu Tohno, Satoru Chatani, Keiichiro Kanemoto, Shigemi Kagawa, Yasushi Kondo, Wataru Takayanagi, Manfred Lenzen (2021) Consumption in the G20 nations causes particulate air pollution resulting in two million premature deaths annually, *Nature Communications*, 12, 6286.

※2 Thomas Wiedmann, Manfred Lenzen (2018) Environmental and social footprints of international trade, *Nature Geoscience*.

Exercise　知識問題　環境問題と経済・ものづくり

1. 以下の英単語について、最も適した日本語訳をａ～ｄの中から選べ。

IRP　(　　)

a. 国際資源パネル　b. 気候変動に関する政府間パネル

c. 国内総生産　d. 人力小規模金採掘

confilict minerals　(　　)

a. 水銀　b. 紛争鉱物

c. 循環資源　d. 森林資源

PRI　(　　)

a. 責任銀行原則　b. 社会的責任投資

c. 責任投資原則　d. 持続可能な保険原則

2. 以下の単語について、最も適した英語訳をａ～ｄの中から選べ。

開示　(　　)

a. decoupling　b. extraction

c. disclosure　d. exposure

鉱物資源　(　　)

a. fossil resources　b. mineral resources

c. depletable resources　d. recyclic resources

気候関連財務情報開示タスクフォース　(　　)

a. GPIF　b. TCFD

c. ASGM　d. UNEP

解答・解説は→ p.195 ～ 198

3. 以下の単語に当てはまる英語訳を（　）内に記入せよ。

資源生産性　（　　　　　　　　）

早期死亡　（　　　　　　　　）

非財務情報　（　　　　　　　　）

重要課題　（　　　　　　　　）

4. 以下の英単語の意味を、（　）内に日本語で記入せよ。

intermediate treatment　（　　　　　　　　）

decoupling　（　　　　　　　　）

artisanal and small-scale gold mining（　　　　　　　　）

stewardship　（　　　　　　　　）

5. 以下の文章内の（　）に当てはまる単語を記入せよ。

(A) is one of the ways to use resources effectively, which is a method of using collected waste as materials or fuel for products.

A (　　　　　　　　)

(B) are the acceptable limit points of the global environment that must not be exceeded for the survival of the human race.

B (　　　　　　　　)

(C) is a set of principles for investing - which became the catalyst for the spread of ESG investing - that promote the creation of a sustainable society.

C (　　　　　　　　)

環境問題は どの基準で見るべきか

文：南齋 規介（国立環境研究所 資源循環領域 国際資源持続性研究室 室長）

「生産基準」で見る温室効果ガス排出量

2019年度の日本の温室効果ガス排出量は、二酸化炭素換算で12億1,200万トンとなった。この値は日本の公式の排出量として国連気候変動枠組条約事務局（条約事務局）に提出され、パリ協定で定められた2030年目標（2013年比26%削減）達成への進捗が国際社会に共有される。また日本は2021年4月の気候サミット「Leaders Summit on Climate」で「2050年カーボンニュートラル」を宣言し、それに整合する目標として2030年までに2013年度比での46%削減を掲げている。

削減の基準となる2013年度の排出量には、過去条約事務局に提出された値が使用されている。この「排出量」は日本国内で発生したもののみを対象とする。すなわち日本が「生産者」として「国内に売る商品」と「輸出して国外に売る商品」の両方を作るために直接要した排出量を指す。この排出量は、環境科学では**生産基準排出量（production-based emissions）**と呼ばれている。

「消費基準」で見る温室効果ガス排出量

一方、生産の対極にあるのは消費である。日本が「消費者」として排出した量は**消費基準排出量（consumption-based emissions）**と呼ばれ、「消費した国産品と輸入品の生産に関わる排出量」をすべてのサプライチェーンを資源採掘段階にまで遡って算出する。この算出方法はp.143で解説したフットプリント指標と同じ考え方なので、日本の**消費のカーボンフットプリント**と理解できる。消費基準排出量の計算の際、先述の通り輸入品の排出を含めるが、国外の消費者が使用する輸出品に要した排出は除かれる。等式で書くと、**消費基準排出量＝生産基準排出量（国内排出）＋輸入品排出量のサプライチェーンを遡った排出量－輸出品排出量のサプライチェーンを遡った排出量**の関係が成り立つ。

気候変動に関する政府間パネル（IPCC）が2014年に発表した第5次評価報告書には、温室効果ガス排出量を生産基準と消費基準それぞれで見た時の比較が掲載された。それによれば、**経済的に豊かなOECD諸国では消費基準のほうが生産基準での排出量より大きくなり、OECD以外のアジア諸国はその逆**となっていた。

日本でも消費基準排出量が生産基準の排出量を毎年上回っており、1990年から平均して17%ほど、前者の排出が後者より大きい傾向が続いている。わかりやすく言えば、日本での暮らしは国際社会へ示した排出量よりも大きな排出量を実際には生み出しているのだ。そしてその大きさは、パリ協定の目標達成に必要な削減量を半分以上も打ち消すほどである。しかし排出削減目標を生産基準で立てている現在、その削減に責任を負う仕組みは公式には存在しない。

図 3-15. 排出量算定基準の違い

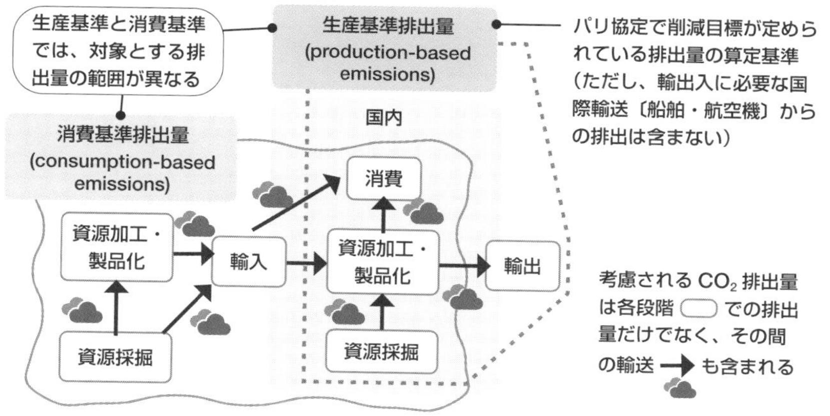

「生産基準」で目標を設定する利点・欠点

生産基準、もしくは消費基準で削減目標を設定することは、どちらにも利点・欠点が存在する。生産基準で削減目標を設定することの良い点は、**すべてが日本の中だけで完結すること**にある。排出量算出の際には、日本の統計だけを使えばよいので素早くかつ精度良く計算を行える。また削減目標を決めるにせよそれに向けた対策を作るにせよ、その**すべての意思決定を国内で完結させることができる**のだ。

とはいえ生産基準で削減目標を設定することの悪い点も、大きく３つ存在する。国内で利用する製品を国産品から輸入品に切り替えることで自国の排出量が減るが、①**輸入による他国での排出量増加（carbon leakage と呼ばれる）を認識できなくなること**、また②国内で省エネや低炭素技術の普及が進むにつれ、**国内だけでさらなる排出削減を進めるのが徐々に困難になること**。そして、③**輸出量が増えると削減責任のある排出量も増加する**ことがあげられる。たとえば世界最高の**低炭素製品（low-carbon products）**を作って輸出した場合、その輸入国は自国の排出量を削減できる。その一方で、日本が削減すべき排出量は輸出した分だけ増えてしまうのだ。この点は、**日本が低炭素技術や製品の輸出大国として成長する上で大きな障壁**となる可能性がある。

「消費基準」で目標を設定する利点・欠点

消費基準で削減目標を設定した場合はどうか。まず①**日本の低炭素技術や製品を世界に輸出することが排出削減の目標と矛盾することはない**。また天然資源の多くを国外からの輸入に頼る国として、②**輸入に伴う排出に対しても責任を持って排出管理を実行できる**ようになる。削減機会が国外に広がることで、削減に向けた対策の選択肢が増えるのだ。

また産業界では今、スコープ３と呼ぶ企業活動のサプライチェーンを通じた温室効果ガス排出量を管理･削減することが、環境（environment）と社会（social）への貢献、企業統治（governance）を考慮する**ESG投資における企業価値を判断する上での重要な要素**となっている。このように③**企業が取り組むスコープ３排出削減の成果を日本全体の削減目標に還元できる**点も、消費基準で削減目標を設定することの良い点である。

一方、消費基準で削減目標を設定することの難点は、フットプリントとして排出量を算出するため、①その計算に多くのデータを要することがあげられる。もちろん、**速報性は生産基準よりも劣ることになる。**

さらに世界各国の経済活動と国際貿易を組み込んだ産業連関表を用いたモデルにより排出量が決まるため、②**算出される排出量の精度も生産基準の場合より低い**。この**不確実性（uncertainty）**に対する懸念は消費基準排出量の公式な承認を難しくさせ、結果として削減目標の設定と国際的な合意のプロセスへと進むことができなくなるのだ。

また、利点として国外の排出削減策が検討できる点をあげたが、それは裏返すと③**諸外国との交渉が必要になる**とも言える。これは生産基準にはない、難しい政策プロセスである。

	生産基準排出量	消費基準排出量
利点	排出量の推計と削減対策の意思決定を国内で完結させることができる	①低炭素技術・製品輸出が排出削減の目標達成と矛盾しない ②輸入に伴う排出に対しても排出管理を実行できる ③企業による排出削減の成果を日本全体の削減目標に還元できる
欠点	①輸入による他国での排出量増加を認識できない ②省エネが進むと国内で削減策を進めるのが困難になる ③輸出量が増えると削減責任のある排出量も増加する	①算出に多くのデータを要し、時間もかかる ②算出される排出量の精度が生産基準より劣る ③排出削減のために諸外国との交渉が必要になる

表 3-1. 生産基準排出量と消費基準排出量の利点・欠点

「消費基準」で測られる持続可能性

「生産基準」「消費基準」という事象の見方は、温室効果ガスだけでなく多様な環境・社会問題に活用することが可能だ。どの見方も**一長一短（pros and cons）**があるものの、現在のところ多くの場合は実務が容易な生産基準が用いられる。しかしスコープ３での排出量管理が求められていることからわかるように、産業界も消費基準で計測を行い、**持続可能性（sustainability）**にも照らして企業の価値を見る時代になっている。また自治体でもこのような動きが進んでおり、例えば東京都と横浜市が参加するC40という国際活動では、メガシティーを対象に都市の温室効果ガス排出量をスコープ３で計測することが強く推奨されている。

消費者としての責任を、日本はどう国際社会の中で果たしていくか。この問いは避けては通れないものとなっており、そして企業や自治体はその責任を果たすべく既に動き始めている。日本が消費基準でグローバルに生じる環境・社会問題に対して貢献する目標を掲げるのは、そう遠くない未来であろう。

Section 5 環境問題と経済・ものづくり キーワード

□ planetary boundaries

「プラネタリーバウンダリー」。地球の環境負荷を許容できる各種限界点を指す。boundariesは「境界線」を意味する。この限界点を超えた場合、異常気象の発生頻度が高いまま推移したり、漁獲量が減少したまま回復しなかったりといった各領域で不可逆的変化（**レジームシフト〔regime shift〕**）が起きるとされる。

□ doughnut economics

「ドーナツ経済」。環境負荷の限界点を超えないようにしつつ、最低限の所得やエネルギー安全保障などの社会的な土台を保障していく経済の考え方。ドーナツの由来は「環境負荷限界点（プラネタリーバウンダリー）」と「社会的な土台」の境界2つの間で経済を成立させることから。

□ circular economy

「サーキュラーエコノミー」、もしくは「循環経済」。2015年にEUが**循環経済パッケージ（Circular Economy Package: CEP）**を公開したことで広がった、環境に優しい経済の考え方。**「取って、作って、使って、そして捨てる」（take, make, use and throw away）**で表されるような**リニア経済（linear economy）**ではなく、資源を再利用などで循環させることでその経済的価値を最大化する経済を目指す。

□ GND

Green New Dealの略称で、意味は「グリーンニューディール」。多くの場合、2009年にアメリカのオバマ政権が提唱した政策を指す。環境対策への積極的な資金注入による経済活性が目的とされる。もともとはイギリスのシンクタンクNew Economics Foundationが2008年に提言した政策で、同年にUNEPがこれを元にグローバル・グリーン・ニューディールを提唱した。2019年にアメリカ下院議員のアレクサンドリア・オカシオ＝コルテス（Alexandria Ocasio-Cortez: AOC）がGND決議案を提出したことで再度話題になった。

□ European Green Deal

「欧州グリーンディール」。EUが2019年に発表した環境・経済戦略。2050年までの気候中立を目指して、クリーンエネルギーの拡大や循環経済の実現のために各種政策の実施を謳っている。

□ RoHS Directive

Restriction of Hazardous Substances Directiveの略称で、意味は「特定有害物質使用制限指令」、もしくは「RoHS（ローズ）指令」。鉛や水銀といった有害物質を電子機器類に使用することを制限するEUの法律。電子機器類に有害物質を使用させないことで、資源のリサイクルや製品廃棄をよりスムーズに進行させる狙いがある。

□ Brussels effect

「ブリュッセル効果」。EU 域内で厳格に定められた規制・規格が EU 域外の国・企業でも採用されていき、事実上の国際基準となっていくことを指す。アヌ・ブラッドフォードが 2012 年に提唱した。EU 内規制が国際基準となることで、規制遵守コストの面で EU 所属国や企業が有利になりやすい。名称の由来はベルギーの首都ブリュッセルに EU 本部が置かれていることから。

□ Spaceship Earth

「宇宙船地球号」。地球を閉じた宇宙船と見なして、その内部資源が有限であり、適切な配分や効率的な利用が必要であるとされる考え方。1963 年のバックミンスター・フラー著作『宇宙船地球号操縦マニュアル』（*Operating Manual for Spaceship Earth*）で広がった。

□ steady-state economy

「定常経済」。資源の有限性に着目し、経済規模を資源が活用できる範囲までに押さえるべきとする考え方。環境経済学者のハーマン・デイリーが、1973 年に *Toward a Steady-State Economy* の中で提唱した。

□ degrowth

「脱成長」、もしくは「反成長」。環境破壊や資源枯渇の観点から、資本主義における経済成長第一主義を批判する立場。グローバルな経済成長の代わりに、自然環境との共存やローカルな自治の拡大などが目指される。

□ decoupling

「分離」、もしくは「デカップリング」。資源利用の文脈においては、資源の消費量と経済成長を切り離すことを指す。資源消費量を減少させつつ経済が成長していくことが最善とされる。

□ UNEP

United Nations Environment Programme の略称で、意味は「国連環境計画」。世界規模で環境問題についての対策を主導する国連の機関。1972 年の国連人間環境会議（ストックホルム会議）を契機に設立された。世界の環境問題やその対策などについてまとめた**地球環境概観（Global Environmental Outlook: GEO）**を発行している（2019 年発行の第 6 版が最新）。

□ IRP

International Resource Panel の略称で、意味は「国際資源パネル」。UNEP-IRP とも表記する。2007 年に設立された UNEP の下部組織で、資源の持続可能な利用促進や、環境影響の科学的評価手法の提供などを目的としている。公式サイトでは資源の利用と環境保全に関する資料が公開されている。

□ 10YFP

10 Year Framework of Programmes on Sustainable Consumption and Production patternsの略称で、意味は「持続可能な消費と生産に関する10年計画枠組み」。2012年に国連持続可能な開発会議で採択された、**持続可能な消費と生産のパターン（Sustainable Consumption and Production patterns: SCP）**を普及させるための枠組み。持続可能な公共調達や、消費者に向けた環境配慮情報開示の普及など、6領域での取り組みが進められている。

□ SBT

Science Based Targetsの略称で、意味は「科学的根拠に基づく目標」。パリ協定が求める水準に整合した、企業レベルでの温室効果ガス排出削減目標、あるいはその目標を掲げて認定された企業を指す。削減目標の認定基準設定や企業が掲げた目標の認定は、世界自然保護基金や国連グローバル・コンパクトなどが共同運営するSBTi（Science Based Targets initiative）が2014年より行っている。

□ GRI standard

「GRIスタンダード」。企業がESG（環境・社会・企業統治）要因に対して与える影響を報告するための基準。UNEP公認団体である**GRI（Global Reporting Initiative: GRI）**が2016年に作成した。

□ Greenhouse Gas Protocol

「温室効果ガスプロトコル」。温室効果ガス排出量の計算と報告方法の世界基準。GRIやSBTなどで広く採用されている。企業が見るべき温室効果ガス排出量を、自社工場などからの直接排出（スコープ1）とエネルギー利用による間接排出（スコープ2）、そしてサプライチェーン上での排出（スコープ3）の3つに区切っている。

□ greenwashing

「グリーンウォッシュ」、もしくは「グリーンウォッシング」。企業が自社の製品や活動について、実態が伴っていないにも関わらず「環境に配慮している」と消費者に発信すること。環境を意味するgreenとごまかしを意味するwhitewashingから作られた言葉。SDGsについてのごまかしの場合はSDG-washingと呼ばれる。

□ LCA

Life Cycle Assessmentの略称で、意味は「ライフサイクルアセスメント」。製品が及ぼす環境負荷を、サプライチェーンだけでなく購入後の消費・廃棄・再利用のプロセスまで含めて計測・集計する評価手法。

□ PRI

Principles for Responsible Investmentの略称で、意味は「責任投資原則」。2006年にコフィ・アナン国連事務総長が提唱した原則。ESG課題を投資の意思決定プロセスに反映させること、投資先にESG問題への配慮を求めることなどの6つの原則で構成される。2021年8月現在4,419団体が署名し、その運用総額は121兆ドルにも及ぶ。

□ GPIF

Government Pension Investment Fundの略称で、意味は「年金積立金管理運用独立行政法人」。日本の厚生年金・国民年金積立金の管理・運用を行っている。2020年度の運用資産総額は約177兆円で、世界最大のアセットオーナーである（2位はノルウェー政府年金基金の155兆円〔2021年10月25日現在〕）。

□ engagement

「エンゲージメント」。ESG投資においては、ESG課題に関する企業と投資家の建設的な対話を指す。ESG投資の際は投資先のESG課題に対する姿勢を見る必要があるが、長期的観点から株主として投資先と対話することがPRIで求められている。

□ divestment

「ダイベストメント」。投資先から資金を引き上げること。ESG投資においては、ESG課題に対して悪影響を及ぼす企業への圧力を目的として行われることがある。しかし、株式を売却した場合は当該企業への株主としての発言権が失われるというデメリットも抱える。

□ materiality

「マテリアリティ」、もしくは「重要課題」。企業経営に重大な影響を与える要因を指す。ESG投資においては、企業がESG課題から受ける影響（これのみの場合は**シングルマテリアリティ〔single materiality〕**）とESG課題に対して企業が及ぼす影響、**ダブルマテリアリティ（double materiality）**が重要視される。

□ Moskowitz Research Prize

「モスコウィッツ賞」。社会的責任投資（Socially Resposible Investment: SRI）に関する優秀な研究に対して贈られる賞。名称の由来であるミルトン・モスコウィッツ（Milton Moskowitz）は、100 Best Companies to Work for（アメリカの「働きがいのある会社」ランキング）を最初に作った一人で、企業の社会的責任に関する初期の研究者。

1. CO_2 排出量を計測する２つの基準、すなわち生産基準と消費基準（→ *p.*150）について、それぞれどのように算出（calculate）されるのか英語で説明せよ。説明の際は、以下の語句を使用すること。

CO_2 emissions / production-based emissions / consumption-based emissions / imports / supply chain

解答・解説は→ *p.*199

2. 製品の生産や消費の時点だけでなく、サプライチェーン上での環境負荷（environmental burden）も意識することはなぜ重要なのか。その理由を英語で述べよ。

経済・ものづくりに遍在する資源問題

文・コスモピア編集部

実体経済と金融経済の両方で必要とされる環境問題対策

天然資源の利用は化石燃料やレアメタルなどの枯渇という問題だけでなく、資源採取による土地利用の変化や廃水や排気ガスなどの環境放出物に含まれる化学物質、そして廃棄物の処理で生じる CO_2 といった幅広い問題が絡んでくる。資源の利用・廃棄についてはプラネタリーバウンダリー（→ *p.*121）の限界点を超えないことが望まれるが、既にいくつかの領域では限界点を超えてしまっているのが現状だ。

このような地球規模の資源に関する問題は、経済活動が世界規模で展開している以上、各国が個別に国内対策をするだけでは解決することはもはや難しくなっている。自国での資源利用が環境負荷を減らしても製品輸入により他国の資源利用による環境負荷を増加させてしまえば、地球規模で見た時には何も変わらない。むしろ自然再生の速度を超えてしまう場合はより深刻な形で環境負荷が増加してしまう。そういった事態を防ぐために、環境負荷をフットプリント（→ *p.*142）という形で計測するのは有効な手段の一つだ。

そして、こういった環境負荷への対策には経済活動の主体となる企業の協力が欠かせない。企業の協力を引き出すため、近年は PRI（→ *p.*130）による ESG 投資や PRB による ESG 融資など、資金流入面から企業への動機付けを行う取り組みが進みつつある。企業の非財務情報開示の義務化・精緻化も進みつつあり、企業活動における環境負荷への配慮は今後より重要性を増していくだろう。

また、資源の生産・利用においてはそのサプライチェーンに携わる人々への影響も無視することはできない。SDGs においては環境だけでなく人々の平等も重要視されているからだ。

このように、資源を巡っては環境と経済活動、そして人々の平等という三方に目を配る必要がある。

資源問題に対して私たちができること

さて、資源の利用・廃棄において経済活動の主体は企業にあるが、そこから提供されるサービス・製品の利用・廃棄においては私たち消費者が主体となる。資源をめぐるさまざまな問題に対して私たちができることは数多くあるが、まずは自身の生活により排出されるごみの種類に目を向けてみるのはどうだろうか。

例えば、紙ごみは生産時の木材の消費と廃棄時の CO_2 の排出を、プラスチックごみは生産過程での石油の消費と廃棄過程での環境放出物の増加を意味する。「ごみとして捨てる製品は、どのように作られてどのように廃棄されるのか」といった一連の流れを意識することで、資源の利用・消費に対する視野を広げることができるだろう。

消費者としてできるものとしてエシカル消費もあげることができるが、こちらは別途 *p.*170 で詳しく解説する。

また私たちは企業から製品・サービスを受け取ることしかできないわけではない。企業がその活動の中でどのように環境問題を始めとした ESG 問題に取り組んでいるか、サステナビリティ報告書や統合報告書といった形で公開されている情報を見ることもできる。最近は多くの企業が何かしらの形で ESG 報告書を公開しているため、自身がよくお世話になっている企業の報告書を読み、ESG 問題に対してどのような取り組みをしているのかを知ることは有意義であろう。今後非財務情報開示規制が進めば、ESG 報告書を公開する企業の数も増え、内容もより精緻化することが期待される。

Part 1 で述べたように、私たちは環境問題解決に向けて政府や企業などに行動を起こすよう促すだけでなく、自身の生活と近いところにある企業や自治体の取り組みを知ることも重要なのである。

Exercise　思考問題②　環境問題と経済・ものづくり

1. さまざまなフットプリント指標（→ *p.*147）について、このPart 3で紹介したものに限らず、自分が注目している指標をあげ、それに注目する理由を英語で述べよ。

2. 自分がふだん使っている身の回りのさまざまな製品（スマートフォンやペットボトル、衣服など）の中から一つあげて、その製品に関して知りたいフットプリント指標とその理由を英語で述べよ。

Part 4 & Our Lives

環境問題と私たちの暮らし

結局、私たちはどう生きれば良いのか

これまでの Part で、環境問題とそれに関連して発生している問題、そしてそれらへの社会的な対抗策を解説してきた。しかし環境問題の（そして環境問題に限らない）SDGs 達成のためには、最後に私たちがどう振る舞うべきかを考え、実践していく必要がある。そしてその実践のためには、問題の複雑さへの理解を忘れてはならない。

photo: Nastco/iStockphoto

理解した環境問題の知識を、私たちの生活にどう活かすか考えよう

Part 1からPart 3まで、さまざまな環境問題と重要な関連テーマを解説してきた。環境問題は直接的・間接的に私たちの生活に影響を与えるため、問題の理解だけでなく解決に向けた実践が最終的には重要となる。しかし繰り返し説明してきたように、環境問題は複雑であるため、解決のためには色々な事情を考慮しなければならない。

問題の背後にある込み入った事情を理解しつつ、持続可能な社会を将来世代に受け渡すために迅速に行動しなければならない。こういった高度な振る舞いが、現代の環境問題解決のために求められていることなのだ。

このPart 4ではSDGsの環境問題に対して私たちができること、そして行動を起こす際の英語学習の重要性を最後に解説する。このPartを含めて本書で学んだことを、ぜひこれからの生活に役立てていってほしい。

イラスト：keko-ka/iStockphoto

Section 1 環境問題と私たちの暮らし **テーマの解説**

環境問題と消費生活

文：コスモピア編集部

さまざまな環境問題と環境配慮行動

気候変動に生物多様性の損失、エネルギー問題に資源問題。ここまで直接的・間接的に私たちの暮らしへ影響を与える環境問題を紹介してきた。問題の経過を測る指標の多くが国家・地域レベルでの計測であり、その指標に基づく対策も、その多くが国家・企業レベルでの対策となる。

かといって、環境問題の解決に個々人の努力が必要ないわけではない。SDGs の達成にはすべてのレベルにおける協力、すなわち個々人の協力が必要とされているように、環境問題の解決にも個々人の協力が必要だ。環境への影響を配慮した行動は**環境配慮行動（pro-environmental behavior）**と呼ばれ、フットプリント（→ *p.*142）を意識した製品の購入や電気・水の節約、**Reduce（〔ごみ〕削減）・Reuse（再利用）・Recycle（再資源化）**の 3R 活動などがそれに当てはまる。

例えば電気の節約に目を向けると、これはエネルギー消費による CO_2 排出の削減とつながっている。国立環境研究所による部門別 CO_2 排出量の調査によれば、家庭部門でのエネルギー利用を考慮した CO_2 排出量は 159Mt で、全体の 14% 以上になる。この排出量自体は発電時の CO_2 排出量削減でも減少するが、日常生活における節約でも減らすことが可能だ。3R 活動に取り組めば環境放出物の削減につながり、自然環境への負荷が軽減される。環境省が集計している一般廃棄物処理実態調査によれば、2019年度に搬入されたごみは約4,000万トンで、うち約2,780万トン、全体の約69%が生活系ごみである。

環境問題の多くは確かに国家・企業レベルでの対応が必要ではあるが、個々人の努力により解決が進歩することもまた多いのだ。

SDG12で目指される消費の姿

もちろんSDGsにおいては環境問題だけでなく、貧困や労働問題などの社会問題も対処が必要とされる問題だ。こういったより広い問題への対処を意識した行動には、**エシカル消費（ethical consumption、倫理的消費）**や**持続可能な消費（sustainable consumption）**がある。環境配慮行動が環境への影響を意識した行動全般を指すのに対し、エシカル消費や持続可能な消費は環境問題に限らず、貧困や見えない搾取といった社会問題まで含めて配慮した消費活動を指す。例えば、カーボンフットプリント（→ *p.*146）が小さい商品をなるべく買うようにすることは、環境配慮行動であるとも言えるし、エシカル消費や持続可能な消費であるとも言える。

ではエシカル消費と持続可能な消費の違いはどこにあるのだろうか。

エシカル消費は1989年にイギリスで創刊された*Ethical Consumer*という雑誌から広まったとされる。現在も発刊が続くこの雑誌では、企業活動が多角的な観点から倫理的かどうかを調査・公開し、消費者に対しては価格や性能以外での購買基準が提供されている。評価項目の中には環境保全や人権保護に関するものがあり、例えば「環境への影響についてのレポートを出しているか」「製品はフェアトレードに則っているか」といった観点で得点がつけられている。このようにエシカル消費は、消費者の側から企業とのより良い関係を目指す動きの中で生まれてきたものであり、*p.*130で解説したSRIとも通じるものだ。

一方、持続可能な消費は、1992年の地球サミットで採択された**アジェンダ21（Agenda 21）**の第4章で言及されたのが最初とされている。アジェンダ21では持続可能な開発と環境問題解消の両立が目指され、その第4章では経済成長に必要な消費と生産について、以下のように述べられている。

4.3. 貧困と環境の悪化は密接かつ相互に関係する。貧困はある種の環境負荷をもたらす一方、継続的な地球環境悪化の主たる原因は持続不可能な消費と生産のパターンであり、それは特に先進国で起きているものだ。このことは貧困と不平等をより悪化させる、重大な懸念事項である。

4.3. Poverty and environmental degradation are closely interrelated. While poverty results in certain kinds of environmental stress, the major cause of the continued deterioration of the global environment is the unsustainable pattern of consumption and production, particularly in industrialized countries, which is a matter of grave concern, aggravating poverty and imbalances.

日本語訳は編集部が作成、アジェンダ21本文はhttps://sustainabledevelopment.un.org/content/documents/Agenda21.pdfより引用した。

このように、経済成長で必要とされながら貧困と環境問題を悪化させる「持続不可能な消費と生産のパターン」（unsustainable pattern of consumption and production）の代わりに必要とされたのが持続可能な消費（と生産）というわけである。

さらにアジェンダ21では、持続不可能な消費のパターンを変化させるための解決策が次のように示されている。

(a) エネルギーと資源の使用においてさらなる効率化を促進する
Encouraging greater efficiency in the use of energy and resources

(b) 廃棄物の発生を最小限にする
Minimizing the generation of wastes

(c) 個人や家庭が環境的に健全な購買決定を行うことを支援する
Assisting individuals and households to make environmentally sound purchasing decisions

(d) 公共調達を通じて政府がリーダーシップを発揮する
Exercising leadership through government purchasing

(e) 環境に配慮した価格付けへ移行する
Moving towards environmentally sound pricing

(f) 持続可能な消費を支える価値観を強化する
Reinforcing values that support sustainable consumption

日本語訳は編集部が作成、アジェンダ 21 本文は https://sustainabledevelopment.un.org/content/documents/Agenda21.pdf より引用した。

こうしてみると、持続可能な消費は政府や企業、個人や家庭が一体となって実現すべき消費のあり方と考えることができる。

両者の関係を考えると、エシカル消費は持続可能な消費を達成するための手段の一つだと言える。個人と環境問題の関係でいえば、まずは個々人が消費者としてエシカル消費を実践していくことで、どういった行動が環境に優しいのかを理解することができるだろう。

その中で日々消費する製品が持続可能な形で生産されているか、企業が公開する ESG 報告書や製品に表記される FSC® 認証マークや海のエコラベルなどのエシカルマークをチェックしていき、気に入った企業の製品やサービスを購入、すなわち**投票としての消費（consumption as voting）**を行うのが良いのではないだろうか。

環境問題と英語学習

文：コスモピア編集部

さて、本書ではこれまで環境問題やその解決に向けた取り組みを解説してきた。取り上げた英単語を適切に活用することで、環境問題に関する海外の事例や考え方について多くの情報が得られるだろう。

最後に環境問題を考える際に英語を学ぶことでもたらされるメリットやその重要性について、2つのテーマとともに解説することで本書の締めくくりとしたい。

背景を理解するための英語学習

SDGsとESG。これらのキーワードに加えて、教育の分野では近年「ESD」の語も広く聞かれるようになった。「ESD」はEducation for Sustainable Developmentの略称で、「持続可能な開発のための教育」と訳される。2002年の持続可能な開発に関する世界首脳会議（ヨハネスブルグサミット）にて日本が提唱した考え方で、国内では学習指導要領を通じてESDの浸透が図られている。子どもを持続可能な社会の創り手としてさまざまな社会・環境問題へ主体的に取り組むよう促すことが、ESDの目指すところだ。

しかし環境問題に限れば、1972年のストックホルム会議で**環境教育（environmental education）**の重要性が謳われたその前後から、日本を含めた各国で教育の実践が進められている。アメリカでは1962年に『沈黙の春』（レイチェル・カーソン著）が出版されたことをきっかけに環境問題への関心が高まり、1970年には世界ではじめての環境教育法が成立した。

また欧州ではその地理的特性から、環境問題が国境を超えた問題になりやすい。**ライン川（Rhine river）**の汚染が顕著な例で、上流から下流への有害物質流出は産業が発展するにつれ大きな問題となっていった。例えば1986年にスイスで起きたバーゼル薬品倉庫火災では、農薬や化学品がライン川へ流出し、下流域のドイツやフランス、イタリアがその環境汚染に苦しめられている。

他にも**越境大気汚染（transboundary air pollution）**により生じた酸**性雨（acid rain）**でドイツの**黒い森（Black Forest、シュヴァルツヴァルト）**が被害を受けるなど、環境汚染による国際問題が起きやすいことが欧州で行われる環境教育の背景にある。

環境問題を含めた自然環境と人間社会の関わり合いを学ぶにあたり、その具体的な事例を数多く知ることは理解の助けになるだろう。日本国内だけでも大量の事例を知ることはできるが、海外の事例を知ることは環境問題がなぜ世界で「問題」となるのか、それへの取り組みがなぜ重要なのか、その背景まで含めて理解できるようになるはずだ。

それに海外の情報もインターネットで利用できる現代、英語を使えたほうが集められる事例の質と量も格段に増すのは間違いないだろう。

複雑さを理解するための英語学習

p.60でIPCCやIPBECを例にあげ、科学的態度の重要性を解説したことを思い出してほしい。両組織とも、**政策立案者（policymakers）**に向けた報告書を作成する際に世界中の論文やデータを参照している。一部の報告には議論が出されつつも、各国が適切な意思決定を下す助けとなるようさまざまな情報が吟味されていることは間違いない。

環境問題関係に限らず、世界のさまざまなデータや論文、報告書はインターネットを通じて大量に集めることができる。グローバルな情報は国連の各機関がレポートを、世界銀行やIEA（国際エネルギー機関）、OECD（経済協力開発機構）などが統計データを公開していることが多い。もちろん海外サイト特有のWebデザインに慣れることや数値を読む上での解釈能力などが必要になるが、大枠を押さえるための情報はだいたい手に入れることができる。

しかしこれらの多くは英語で記述されており、日本語訳が用意されていないことが多い。もちろん環境省や資源エネルギー庁などが翻訳資料を公開している場合もあるが、読みたい資料の日本語訳が必ず見つかるとも限らない。

例えば持続可能な生産と消費の最新枠組みである10YFP（→ p.157）は、文書原本自体の発見が困難なことはさておき、日本語資料でよく言及される枠組みだ。にも関わらず、その全文を日本語訳したものはインターネット上では見つからない（2021年10月現在）。

また近年はGoogle翻訳やDeepLなど優れた翻訳ツールが登場しているものの、誤訳の可能性を考えると英語本文と比較対照ができるくらいの英語能力は最低限必要だろう。そこでは情報リテラシーも必要になることは言うまでもない。

本書で解説した環境問題の複雑さは全体の一部に過ぎず、さらなる理解を求めるならばインターネットに情報を求めるのが最も手早い。英語が使えるならば、より多くの情報を手に入れられるだろう。

SDGs達成に向けていくつものアクションが求められる中、予期せぬ副作用を防ぐために複雑さへの理解を欠かすことはできない。環境問題とその対策がどれだけ地球と私たちに時間的・空間的な影響を与えるかの理解なくして、持続的な社会を作り、それを将来世代に渡していくことは難しいだろう。

本書で得た知識を活かして、SDGsの環境問題に対する自分なりの理解を作っていって欲しい。

Section 2 環境問題と私たちの暮らし 年表

環境保護推進のために環境教育が注目され始める	
1948	世界 国際自然保護連合（IUCN）の設立総会で「環境教育」という言葉が初めて用いられる
1957	日本 日本自然保護協会「自然保護教育に関する陳情書」提出
1960	世界 国際消費者機構（CI）設立
1962	世界 **アメリカでレイチェル・カーソンの『沈黙の春』出版**
1967	欧州 スカンジナビアの酸性雨、ヨーロッパで排出される大気汚染物質が原因であることが明らかにされる
1970	欧州 この頃からドイツの黒い森（シュバルツバルト）の酸性雨被害が広がる
1972	世界 **国連人間環境会議（ストックホルム会議）で人間環境宣言採択：環境教育の重要性を訴える**
1974	日本 環境教育カリキュラムの基礎的研究班発足 日本 国際環境教育シンポジウム開催文部省特定研究「科学教育」において「環境教育カリキュラムの基礎的研究」始まる
1975	世界 **国際環境教育プログラム（IEEP）が開始** 世界 国際環境教育ワークショップでベオグラード憲章作成 日本 全国小・中学校公害対策研究会が環境教育研究会に名称変更 世界 第1回先進国首脳会議（サミット）、イタリアが参加
1976	世界 環境教育地域専門家会議（アジア等世界5地域） 欧州 ライン川化学汚染防止条約調印
1977	世界 **トビリシ環境教育政府間会議：最初の国際的な環境教育推進枠組み** 日本 環境教育研究会設立
1978	欧州 ドイツで最初の環境ラベル Blue Angel が開始
1979	日本 1977年からこの年にかけて、学習指導要領に「公害防止の大切さと、国等の対策」、「環境の保全に役立つ森林の働き」、「人間と自然」を追加
1984	日本 文部省、自然教室推進事業を開始
1985	世界 世界環境教育会議（東京）
1986	日本 環境庁、環境教育懇談会を設置

環境ラベリング制度が世界的に普及し始める

1988	日本 環境教育懇談会、3月に「みんなで築くよりよい環境を求めて」報告書を提出 日本 エコマーク制定
1989	世界 第3回国際環境教育会議（ゴア・インド） 世界 イギリスで『Ethical Consumer』創刊 世界 フェアトレードマークの運用開始
1990	日本 日本環境教育学会設立
1991	日本 文部省、『環境教育指導資料　中学校・高等学校編』を発行 日本 文部省、環境教育専門官を設置
1992	世界 **国連環境開発会議（地球サミット）がリオデジャネイロで開催：「環境と開発に関するリオ宣言」、「アジェンダ21」を採択** 日本 文部省、『環境教育指導資料　小学校編』を発行
1993	世界 国際エネルギースタープログラムがアメリカ主導で開始
1994	世界 森林認証制度 FSC® が開始 日本 環境基本法に基づき「環境基本計画」閣議決定

環境教育がESDへと発展する

1997	世界 環境と社会に関する国際会議でテサロニキ宣言採択：環境教育を「環境と持続可能性のための教育」と呼べると宣言
2002	世界 **「持続可能な開発に関する世界首脳会議」（ヨハネスブルグサミット）で日本が「持続可能な開発のための教育」（ESD）を提唱** 世界 国連総会で2005-2014年を「国連持続可能な開発のための教育の10年」（UNDESD）とすることが決議
2003	日本 環境教育推進法成立：日本の学校や社会における環境教育のあり方を定める
2012	世界 **国連持続可能な開発会議（リオ+20）開催：持続可能な消費と生産に関する10年計画枠組み（10YFP）採択**
2014	世界 持続可能な開発のための教育に関するユネスコ世界会議開催
2015	世界 **持続可能な開発のための教育に関するグローバル・アクション・プログラム（GAP）採択**
2017	日本 文部科学省、ESD推進に向けた新学習指導要領公示
2019	世界 国連サミットでESD for 2030採択：SDGs達成に不可欠なものとしてESDの普及を求める
2020	日本 環境教育を取り入れた新学習指導要領の教育現場における実施開始

Exercise 思考問題 環境問題と私たちの暮らし

1. ふだんの生活の中で自然環境に優しくない行動（environmentally unfriendly behavior）と思われるものを一つあげ、以下の観点にも触れつつそれを選んだ理由を英語で述べよ。

・その行動は自然環境に対して、どういった影響を与えるのか
・その影響は自然環境にとって、なぜ好ましくないのか

2. 個人ができることの中で重要だと考える環境配慮行動を一つあげ、選んだ理由を英語で述べよ。理由を述べる際、その環境配慮行動が自然環境に対して与える影響とその過程もあわせて説明すること。

解答・解説は→ p.201 ～ 202

3. 環境問題について考える際、グローバルに情報を集めることのメリットは何か。以下の観点から一つ選び、自分の考えを英語で述べよ。

・得られる情報量の多さや質の違い
・環境問題のグローバル化
・国ごとの優先順位の違い
・サプライチェーンのグローバル化

Exercise
解答・解説

Part 1 Exercise 解説 … p.182
Part 2 Exercise 解説 … p.189
Part 3 Exercise 解説 … p.195
Part 4 Exercise 解説 … p.201

Part 1 Exercise 解答・解説

Part 1. SDGsと環境問題

知識問題 p.40 ～ 41

1. 以下の英単語について、最も適した日本語訳を a ～ d の中から選べ。

問題

resilience

a. 透明性　　b. 復元力

c. 適応性　　d. 公平性

答え ：**b. 復元力**

resilience は SDGs の文脈でよく使われる単語で、日本語ではカタカナで「レジリエンス」と表記されることが多い。言葉自体の意味は「復元力」「弾力性」で、「(対象の)元に戻ろうとする力・性質」などと訳せる。

a の「透明性」(transparency) は国際的な条約や枠組みの実行プロセスにおいて重要視される要素。

c の「適応」(adaptation) は気候変動の文脈でよく使われ、気候変動により起きる被害を抑えるといった意味合いで使われる。

d の「公平性」(fairness) は主に資源や CO_2 排出量規制負担の分配において重要視される要素。

問題

anthropogenic

a. 手頃な価格の　　b. 持続可能な

c. 人為的な　　d. 信頼できる

答え ：**c. 人為的な**

anthropogenic は人間活動を原因とした自然環境の変動を指す場合に使われる。

a の「手頃な価格の」(affordable) は主にエネルギー価格について言及する際に使われる。b の「持続可能な」(sustainable) は SDGs の文脈では頻出するが、何をもって持続可能とするかは文脈から判断が必要。また d の「信頼できる」(reliable) は、エネルギーの文脈では安定的にエネルギーが供給され、停電などが起こりにくいことを指す。

問題

supporting services

a. 基盤サービス　　b. 調整サービス

c. 供給サービス　　d. 文化的サービス

答え ：**a. 基盤サービス**

supporting services は生態系サービスの一つ「基盤サービス」を指し、生態系サービスを供給するための土台を作るもの。それ以外の選択肢も、生態系サービスが提供するサービスである。

b の「調整サービス」は regulating services、c の「供給サービス」は provisioning services、d の「文化的サービス」は cultural services とそれぞれ表記される。各生態系サービスの詳しい説明は *p.*27 を参照。

問題

biopiracy

a. 生物資源探査

b. 生物資源の盗賊行為

c. (遺伝資源の) アクセスと利益配分

d. 生物多様性

答え ：**b. 生物資源の盗賊行為**

biopiracy は、他者から得た遺伝資源を利益還元することなく利用することを指す。遺伝資源の利用においてはこの biopiracy を防ぐことが国際的に重要視されている。

a の「生物資源探査」(bioprospecting)

は遺伝資源の中から有用なものを探すこと。遺伝資源を保有していても実際に生物資源探査やそれを元にした研究開発を行えるのは先進国に限られる。c の「（遺伝資源の）アクセスと利益配分」（Access and Benefit-Sharing: ABS）は、そのような技術的な不均衡により生じる利益配分の偏りを是正するために求められる原則である。

---

2. 以下の単語について、最も適した英語訳を a ～ d の中から選べ。

問題

国連気候変動枠組条約

a. UNFCCC　b. UNICEF
c. UNDRR　d. UNEP

答え ：**a. UNFCCC**

国連気候変動枠組条約は英語で United Nations Framework Convention on Climate Change と表記し、UNFCCC はその略称（→ *p.*50）。二酸化炭素排出量削減目標など気候変動対策の国際目標はこの条約の締約国による会議で決まることが多い。一般に COP というと、この UNFCCC の締約国による会議（UNFCC-COP）を指す。
他の略称の意味はそれぞれ以下の通り。
b：United Nations Children's Fund ＝国連児童基金
c：United Nations Office for Disaster Risk Reduction ＝国連防災機関
d：United Nations Environment Programme ＝国連環境計画

問題

（施策などの）実施

a. implementation
b. commitment
c. contribution
d. mobilization

答え ：**a. implementation**

国連文書などの公的文書では、「（施策などの）実施」は implementation と書かれることが多い。
b の commitment（コミットメント、公約）は、SDGs の文脈では主に金銭的援助など数量が決まっている協力行為に対して使われることが多い。
c の contribution（貢献）は、SDGs の文脈では第三者との取り決めのない、より自発的な協力行為に対して使われることが多い。
d の mobilization（動員）は、目的のために物資や人員を動かすことを意味する。

問題

遺伝的多様性

a. biological diversity
b. ecosystem diversity
c. species diversity
d. genetic diversity

答え ：**d. genetic diversity**

遺伝的多様性（genetic diversity）は、ある生物種内で発現しうる遺伝形質の多さを指す。a の biological diversity（生物の多様性）は biodiversity（生物多様性）の同義語だが、その他の選択肢 b・c・d はすべて生物多様性が内包する多様性を表す。
b の ecosystem diversity（生態系の多様性）は、多様な自然環境とその中で生息する生物種が作り出す生態系の豊富さを指す。

c の species diversity（種の多様性）はその生態系内に存在する生物の種類の多さ、そして数の多さを指す。

問題

生態系サービスへの支払い

a. KBA　b. CBD
c. PES　d. TEEB

答え：**c. PES**

生態系サービスへの支払いは英語で Payment for Ecosystem Services と表記し、PES はその略称（→ *p*.53）。生態系サービスから得られる恩恵を経済的価値に換算し、サービスの受益者や森林開発者などに支払いを求める取り組みである。

他の略称の意味はそれぞれ以下の通り。

a：Key Biodiversity Areas ＝生物多様性重要地域

b：Convention on Biological Diversity ＝生物多様性条約

d：The Economics of Ecosystems and Biodiversity ＝生態系と生物多様性の経済学

---

3. 以下の単語に当てはまる英語訳を（　）内に記入せよ。

問題

気候変動に関する政府間パネル

答え：**IPCC**

Intergovernmental Panel on Climate Change も可（→ *p*.49）。気候変動に関する政府間パネル（IPCC）は気候変動やその影響・対策について、世界中の論文を元に科学的な見地から評価を行う国際機関。生物多様性に関する同様の機関として、生物多様性及び生態系サービスに関する政府間科学政策プラットフォーム（Intergovernmental Science-Policy Platform on Biodiversity and Ecosystem Services: IPBES）が存在する。

問題

透明性

答え：**transparency**

制度運用や組織運営の内容が外部から確認できること（→ *p*.50）。国際的な排出量規制や遺伝資源の利益配分などではその意思決定プロセスや決定基準が公開されており、客観的に合理的であることが求められる。

問題

遺伝子組み換え

答え：**genetic modification**

gene recombination も可。ただし gene recombination は遺伝子工学による遺伝子組み換えのみを指す一方、genetic modification は遺伝子工学的手法に加えて旧来の品種改良手法も含めた遺伝子組み換えも対象とする。

問題

侵略的外来種

答え：**invasive alien species**

生態系の外から入り込んだ外来種のうち、その生態系に大きな影響を与えて生物多様性を脅かす生物種を指す。

4. 以下の英単語の意味を、（　）内に日本語で記入せよ。

問題

precipitation

答え　：**降水（量）、落下**

precipitation（降水〔量〕）は水の循環で使われる用語の一つだが、気候変動（climate change）による極端な降水は洪水（flood）をもたらすものとして問題視されている。

問題

mitigation

答え　：**緩和、軽減**

mitigation（緩和）は、SDGsの文脈では人間社会に悪影響を与える気候変動の進行自体を抑える試みに対して使われる（→*p.*50）。地球温暖化へのもう一つの対策である「適応」（adaptation）は、環境問題の気候変動による影響を抑えようとする試みに対して使われる。それぞれ対策の対象となるものが異なるため、読解の際は注意したい。

問題

biological control

答え　：**生物的防除**

biological control（生物的防除）は、害虫や病原菌の数を、その天敵の存在により増加させないことを指す。一般的には農業用語だが、生物多様性保全の文脈では動物由来の病原菌を人間社会に持ち込ませないことを指す。

問題

indigenous peoples

答え　：**先住民（族）**

生物多様性条約においては生物多様性の保全だけでなく、遺伝資源の公平利用も求められている。その中では、先住民族が持つ薬草などの知識を含む、伝統的知識も遺伝資源として保護される対象である。

5. 以下の文章内の（　）に当てはまる単語を記入せよ。

問題

(A) is the way to cope with climate change by reducing the damage from natural disasters caused by climate change.

訳：(A) は気候変動への対策方法で、気候変動を原因として生じた自然災害からの被害を減らすことである。

答え　：**Adaptation**

空欄に入るのはadaptation（適応、→*p.*51）。気候変動への対策には適応（adaptation）と緩和（mitigation）の2つがある。気候変動による影響を軽減するのが「適応」で、「緩和」の方は気候変動の進行自体を遅らせることを指す。

問題

(B) are among the services provided by ecosystems, which produce natural resources that are useful to human society.

訳：(B) は生態系が提供するサービスの一つで、人間社会の役に立つ天然資源を生み出すことである。

答え ：Provisioning services

空欄に入るのは、生態系サービスのうち天然資源の生産に関わる provisioning services（供給サービス）。サービスの「供給」は provide ではなく provision であることに注意。

問題

(C) is a form of land use change, or environmental destruction, that disrupts local ecosystems and reduces carbon sinks by clearing natural forests.

訳：(C) は土地利用の変化、もしくは環境破壊の一つで、自然林を切り開くことでその土地の生態系を乱し、また炭素吸収源を減らす。

答え ：Deforestation

空欄に入るのは deforestation（森林伐採)。森林は二酸化炭素の吸収源であるだけでなく、多様な生物の生息地でもある。そのため森林伐採は、気候変動の進行と生物多様性損失の双方をもたらすことを覚えておきたい。

思考問題① p.57 ~ 58

問題

1. 気候変動と生物多様性の損失はどのように関係するのか。「気候変動が生物多様性に与える影響」と「生物多様性の損失が気候変動に与える影響」のそれぞれについて、英語で説明せよ。
説明の際には、以下の語句を使用すること。

climate change / water cycle / biodiversity loss / ecosystem / carbon stocks

解答例

The progression of climate change will damage ecosystems by increasing temperatures and altering water cycles, resulting in biodiversity loss. And biodiversity loss will cause a decrease in carbon stocks, which will lead to further climate change.

訳：気候変動の進行は気温の上昇や水循環の変動により生態系にダメージを与え、生物多様性の損失をもたらす。また生物多様性の損失は炭素貯蔵量の減少を引き起こし、気候変動を進行させる。

解答ポイント：「気候変動が生物多様性に与える影響」と「生物多様性の損失が気候変動に与える影響」の両方をそれぞれ説明できていれば OK。

問題

2. 気候変動（climate change）の解決と電力への普遍的アクセス（universal access）実現は、どういった形でトレードオフが発生するのか。この Part 1 の内容を踏まえて、例をあげつつ英語で説明せよ。

解答例

Introducing variable renewable energy sources can help reduce CO_2 emissions and help combat climate change. However, it could also lead to higher energy costs and move away from the widespread use of affordable energy.

訳：変動性再生可能エネルギー源を導入することは、CO_2 排出量の削減につながり、気候変動への対策になる。しかしエネルギーコストの上昇につながり、安価なエネルギーの普及からは離れてしまう可能性もある。

思考問題② p.62 ～ 63

問題

1. 以下のどちらかの観点で、解決されていないと、もしくは悪化していると困る環境問題をひとつあげて、それを選んだ理由を具体例をまじえつつ英語で述べよ。

・30 年後の自分にとって、解決されていないと困るもの
・自分に子どもや孫ができた時に、解決されていないと困るもの

解答例

To me, 30 years from now, it's troubling that the issue of biodiversity loss will continue because it may reduce the variety of foods we can eat. Eel, for example, used to be more affordable than it is now.

訳：30 年後の自分にとって、生物多様性損失の問題が今後も残ることは、食べられる食材が減ってしまう可能性があるため困ります。例えば昔はうなぎを安く食べることができたのですが、今では値段がとても高くなり、気軽に食べられなくなってしまいました。

解答ポイント：環境問題は長期にわたる取り組みが必要になるため、時間の経過に対する想像力をぜひ一度はたらかせてみてほしい。この設問では環境問題を解決すべきものと捉える前段階として、長期的な観点から自分にとってのデメリットを説明できていれば OK だ。

問題

2. 以下のどちらかの観点で、自分にとって今の形のまま、あるいは今よりもっと良い形で残っていると嬉しい生態系サービス（→ *p.*27）の具体例をあげて、それを選んだ理由を英語で述べよ。

・30 年後、自分にとって残っていると嬉しいもの
・自分に子どもや孫ができた時に、残っていると嬉しいもの

解答例

As someone who would like to have children, one of the most important things is complete access to clean water, because it is important for a child's healthy upbringing.

訳：子どもがいるであろう自分にとって、綺麗な水をいつでも使えることは一番嬉しいことの一つです。なぜなら子どもの健康を維持するには、綺麗な水の存在が欠かせないからです。

Part 2. 環境問題とエネルギー

知識問題 p. 88 ～ 89

1. 以下の英単語について、最も適した日本語訳を a ～ d の中から選べ。

問題

IEA

a. 原油増進回収
b. 締約国会合
c. 国際エネルギー機関
d. 二酸化炭素回収・貯留

答え ：**c. 国際エネルギー機関**

国際エネルギー機関は英語で International Energy Agency と表記し、IEA はその略称（→ *p.*103）。1974 年のオイルショックを契機に設立された、OECD 加盟国中心のエネルギー政策協力機関。エネルギー情勢に関する各種レポート・データを公開している。

他の選択肢の略称はそれぞれ以下の通り。
a：原油増進回収＝ EOR（Enhanced Oil Recovery）
b：締約国会合＝ COP（Conference Of the Parties）
d：二酸化炭素回収・貯留＝ CCS（CO_2 Capture and Storage）

問題

statistics

a. 指標　　b. 統計
c. 比率　　d. 指数

答え ：**b. 統計**

statistics は「統計」で、CO_2 排出量の年次推移やエネルギーの構成比率といったものを指す。英語で統計データを検索する際は、欲しいデータ名の後ろに「statistics」と入れれば検索結果で出てくることが多い。

a の「指標」と d の「指数」はどちらも index と訳されるが、指標は indicator と訳される場合もある。index と indicator の違いは、indicator が CO_2 排出量のように物事の事実を表すのに使われる数値である一方、index は株価指数のように比較のために使われる数値を指す。

c の「比率」（ratio）は再生可能エネルギーの導入率のように、全体を 100% した時の各要素の割合を指す。

上記の使い分けは統計データを調べる際に覚えておきたい。

問題

carbon tax

a. 炭素税　　b. 炭素強度
c. 炭素貯蔵量　　d. 炭素価格

答え ：**a. 炭素税**

炭素税（carbon tax）は CO_2 排出量に応じて課税される税制の総称（→ *p.*104）。CO_2 排出量の削減努力を促す効果が見込まれる一方、排出規制が緩いところへ産業が流出し地球全体の CO_2 排出量が変わらなくなるカーボンリーケージ（carbon leakage）の発生が危惧される。

b の「炭素強度」（carbon intensity）は一定の電力などのエネルギーを得る際に排出される CO_2 排出量である。

c の「炭素貯蔵量」（carbon stock）は森林や海洋などで貯蔵された炭素の量を指す。近年は海洋生態系の炭素貯蔵（ブルーカーボン〔blue carbon〕）が注目されている。

d の「炭素価格」（carbon pricing）は上述の炭素税や排出量取引制度（ETS）など、CO_2 排出量を課税や取引の対象として値付けを行うこと全般を指す。

問題

cogeneration

a. 電圧変動　　b. 系統制約
c. 熱電併給　　d. 超伝導

答え ：c. 熱電併給

熱電併給（cogeneration）は発電所で生じる廃熱を回収し熱供給などに再利用すること（→ *p.*107）。例えば日本で消費されるエネルギーの多くは給湯や暖房などの熱生成に使用されるため、廃熱を利用することでエネルギーの消費量を減らすことができる。
a の「電圧変動」（voltage fluctuations）は発電機の機能不全などの理由により電力供給が不安定になること。
b の「系統制約」（grid constrain）はある電源を既存の電力系統に接続する際に生じる問題で、発電出力が変動する再生可能エネルギーの導入障壁の一つとなっている。
d の「超伝導」（superconductivity）は特定の金属を氷点下からさらに冷やすと電気抵抗がゼロになる現象で、送電網での送配電ロス削減に向けた導入が目指されている。

---

2. 以下の単語について、最も適した英語訳をａ～ｄの中から選べ。

問題

エネルギー強度

a. energy security
b. energy poverty
c. energy intensity
d. energy efficiency

答え ：c. energy intensity

エネルギー強度（energy intensity）は一定の経済価値を生むのに必要なエネルギー量を指す（→ *p.*105）。省エネなどでエネルギー強度の削減が目指されている。
a の energy security（エネルギー安全保障）はエネルギーを安定的に手頃な価格で、環境に配慮しつつ安全に供給できる体制を継続的に確保することを指し、各国エネルギー政策の基本となる。
b の energy poverty（エネルギー貧困）は電力や天然ガスをインフラが整備されていない等の理由で利用できないこと、または経済的な理由で利用できないこと。前者は発展途上国で生じている問題だが、後者は主にヨーロッパで生じている問題である。
d の energy efficiency（エネルギー効率）は暖房や冷蔵庫などで一定の機能を果たすのに必要なエネルギーの消費量を指す。なお、火力発電所や自動車エンジンなどで熱エネルギーから電力エネルギー、運動エネルギーを取り出す際の効率は energy conversion efficiency（エネルギー変換効率）である。

問題

信頼できる

a. affordable　　b. reliable
c. sustainable　　d. variable

答え ：b. reliable

一定品質のエネルギーが必要な時に得られる＝信頼性がある（reliable）ことは、a の affordable（手頃な価格である）と同様、エネルギー供給において重要な要素の一つである。
d の variable はエネルギーの文脈では「変動しうる」ことを指し、一部の自然エネルギーは供給時の電圧が容易に変動しうることが、既存電力網への接続ハードルの一つとなっている。

問題

熱エネルギー

a. kinetic energy
b. electrical energy
c. thermal energy
d. modern energy

答え ：**c. thermal energy**

熱エネルギー（thermal energy）はエネルギーの大きな用途の一つである。例えば火力発電所では熱エネルギーを b の electrical energy（電気エネルギー）に変換しているし、自動車のエンジンでは a の kinetic energy（運動エネルギー）に変換している。
d の modern energy は電力や天然ガスなどのエネルギー効率が高く、安全に使用できるエネルギーを指す。

---

3. 以下の単語に当てはまる英語訳を（　）内に記入せよ。

問題

化石燃料

答え ：**fossil fuel**

石炭（coal）や石油（petroleum）、天然ガス（natural gas）など、太古の動植物の死骸が元になっている燃料。二酸化炭素の排出源であることに加えて、枯渇性資源（depletable resources）でもある。

問題

需要応答

答え ：**demand response**

需要応答（demand response）は電力需要家側の電力需要パターンを EMS 等を通じて変化させせること。需要応答を通じて一日の電力需要ピークを減らすことで、必要な発電量を減らすことが可能となる。

問題

停電

答え ：**power outage**

blackout も可。電力障害を表す言葉は他にも brownout（電圧低下）、voltage fluctuations（電圧変動）などがある。

---

4. 以下の英単語の意味を、（　）内に日本語で記入せよ。

問題

affordable

答え ：**手頃な価格（の）**

電力やガスといったエネルギーが、家計を圧迫しない程度の価格で入手できることを指す。照明や暖房で使用するエネルギーへの支払いが家計を圧迫してしまう場合、エネルギー貧困(energy poverty)が発生する。

問題

CCUS

答え ：**二酸化炭素回収・有効利用・貯留**

二酸化炭素回収・有効利用・貯留（CO_2 Capture, Utilization and Storage: CCUS）は、二酸化炭素回収・貯留（CO_2 Capture and Storage: CCS）で回収された二酸化炭素を原油増進回収（Enhanced Oil Recovery：EOR）などに活用することを指す。

問題

peak shaving

答え ：ピークカット

ピークカット（peak cut）は和製英語で、海外では peak shaving と表記する。需要応答（Demand Response: DR）の一つで、消費電力自体を減らすことでピーク時の電力需要を減らすことができる。

---

5. 以下の文章内の（　）に当てはまる単語を記入せよ。

問題

(A) such as electricity and natural gas are more efficient and safer than traditional biomass energy.

訳：(A) は電力や天然ガスなどのエネルギー効率が高く、伝統的なバイオマスエネルギーよりも安全に使用できるエネルギーを指す。

答え ：Modern energy

空欄に入るのは modern energy（近代的エネルギー）。近代的エネルギーの普及が進められる背景には産業のインフラ構築だけでなく、伝統的バイオマスエネルギーの利用や灯油の調理利用などで生じる大気汚染による健康被害を減らす目的も存在する。

問題

(B) is the efficiency of energy from the perspective of producing economic value.

訳：(B) は、経済価値を産出する観点から見た時のエネルギーの効率性を指す。

答え ：Energy intensity

空欄に入るのは energy intensity（エネルギー強度）。日本の SDG7 の指標では、エネルギー強度は GDP1 万円当たりの消費カロリーで表される。海外では、消費カロリーの代わりに英国熱量単位（Btu）が用いられる場合がある。

問題

(C) is a form of demand response that shifts the time of electricity consumption away from the time when electricity demands peak.

訳：(C) はデマンドレスポンス（需要応答）の一つで、電力の消費する時間を電力の需要がピークになる時間からずらすこと。

答え ：Load shifting

空欄に入るのは load shifting（ピークシフト）。ピークカットと同様ピークシフトも和製英語で、英語では load shifting と表記する。需要応答（DR）の一つで、電力消費のタイミングをずらすことでピーク時の電力需要を減らすことができる。

思考問題① p.109 ~ 110

問題

1. 発展途上国ではエネルギー源として火力発電を選ぶことが多いが、それはなぜなのか。Part 1 と Part 2 の内容を踏まえて、その理由を英語で述べよ。

解答例

The reason is that a secure and affordable energy supply is necessary for poverty eradication and economic growth, and thermal power is the best way to meet this requirement.

訳：貧困の撲滅や経済成長のために、安全で手頃な価格のエネルギー供給が必要であり、その条件に最もよく当てはまるのが火力発電だったから。

問題

2. 風力発電や太陽光発電などの再生可能エネルギーを一つあげて、その発電の仕組みと環境面で発生しうるデメリットを英語で述べよ。

解答例

Wind power generation is the conversion of the wind's kinetic energy into electrical energy using turbines. One environmental disadvantage is birds hitting the turbines if the wind farm is located within the flight path of the birds.

訳：風力発電は、風の力を受けてタービンを回し、そうして得た運動エネルギーを電気エネルギーに変換します。環境的なデメリットとして、風力発電所の設置場所が鳥の通り道と重なった場合、バードストライクが発生する可能性が考えられます。

解答ポイント：再生可能エネルギーについての技術的な理解と、その性質から生じる環境面でのデメリット、すなわち環境アセスメントで見られるべき点を説明できていればOK。

思考問題②　p.114 ～ 115

問題

1. エネルギー関連技術について、本 Part で紹介したものに限らず、環境保護の観点から自分が注目している技術をあげ、それに注目する理由を英語で述べよ。

解答例

I am interested in superconductivity technology because reducing transmission and distribution losses will reduce the amount of thermal power used, which in turn will reduce CO_2 emissions.

訳：私は超電導技術に注目しています。なぜなら送配電ロスを減らすことでその分の火力発電の使用量を減らすことができ、結果として CO_2 排出量の削減が期待できるからです。

問題

2. Part 1 と Part 2 の解説を踏まえ、気候変動（climate change）の解決と電力の普遍的アクセス（universal access）実現のどちらを優先するべきか、重視したポイントに触れつつあなたの考えを英語で述べよ。

解答例

I think that we should prioritize measures to deal with climate change because of its wide impact. Climate change causes a variety of problems, such as food shortages and biodiversity loss, so I think that measures for climate change should be prioritized over the achievement of universal access to electricity.

訳：私は影響範囲の広さから、気候変動への対策を優先して進めるべきだと考えます。気候変動は食料問題や生物多様性の損失などさまざまな問題を引き起こすため、電力の普遍的アクセスの実現より優先して対策を進めるべきだと思います。

解答ポイント：気候変動と電力の普遍的アクセスのどちらを優先させるかは多様な立場がありうる。本書の Part 1 と Part 2 でさまざまな観点を紹介しているので、それを参考にどちらを優先するべきかを考えてみてほしい。本設問では、自分が取る立場を明確にした上で、その考えを説明できていれば OK。

Part 3. 環境問題と経済・ものづくり

知識問題 p. 148 ～ 149

1. 以下の英単語について、最も適した日本語訳を a ～ d の中から選べ。

問題

IRP

a. 国際資源パネル
b. 気候変動に関する政府間パネル
c. 国内総生産
d. 人力小規模金採掘

答え ：**a. 国際資源パネル**

IRP は International Resource Panel の略称（→ *p.*156）。UNEP-IRP と表記する場合もある。2007 年に設立された UNEP の下部組織で、資源の持続可能な利用促進や、環境影響の科学的評価手法の提供などを目的としている。
他の選択肢の略称はそれぞれ以下の通り。
b. 気候変動に関する政府間パネル＝ IPCC（Intergovernmental Panel on Climate Change）
c. 国内総生産＝ GDP（Gross Domestic Product）
d. 人力小規模金採掘＝ ASGM（Artisanal and Small-scale Gold Mining）

問題

confilict minerals

a. 水銀　　b. 紛争鉱物
c. 循環資源　　d. 森林資源

答え ：**b. 紛争鉱物**

紛争鉱物（confilict minerals）は 3TG（スズ・タンタル・タングステン・金）のように、紛争地帯にて武装組織の資金源となっている鉱物を指す。これらの鉱物の輸入は米国や欧州では法律により規制されている。
a の水銀（mercury）は金採掘の際に用いられることが多く（アマルガム法）、周囲への環境汚染が問題視されている。
c の循環資源（recyclic resources）は廃棄物から回収された、再利用できる資源を指す。
d の森林資源（forest resources）は森林から提供される資源で、多くの場合木材を指す。

問題

PRI

a. 責任銀行原則
b. 社会的責任投資
c. 責任投資原則
d. 持続可能な保険原則

答え ：**c. 責任投資原則**

責任投資原則は英語で Principles for Responsible Investment と表記し、PRI はその略称（→ *p.*157）。2006 年に公表され、ESG 課題を投資の意思決定プロセスに反映させること、投資先に ESG 問題への配慮を求めることなどの 6 つの原則で構成される。
他の選択肢の略称はそれぞれ以下の通り。
a. 責任銀行原則＝ PRB（Principles for Responsible Banking）
b. 社会的責任投資＝ SRI（Socially Responsible Investment）
d. 持続可能な保険原則＝ PSI（Principle for Sustainable Insurance）

2. 以下の単語について、最も適した英語訳をa～dの中から選べ。

問題

開示

a. decoupling　b. extraction
c. disclosure　d. exposure

答え：**c. disclosure**

ESG情報の開示（disclosure）は、ESG投資や環境規制のために企業に対して求められる取り組みの一つである。情報開示の際は、比較可能性や透明性などを確保するためにTCFD提言（TCFD recommendations）やGRIスタンダード（GRI standards）といった枠組みに沿った形で開示することが求められる。
aのdecoupling（分離、デカップリング）は、SDGsの文脈においては経済成長と環境負荷のデカップリングを指すことが多い。
bのextraction（抽出）は自然環境から資源を採取することを指す。自然環境からの資源採取が自然の再生能力を超えて行われる場合は、overexploitation（過剰採取）などと表現される。
dのexposure（ばく露）は、SDGsの文脈では$PM_{2.5}$などの有害物質にさらされることを指す。

問題

鉱物資源

a. fossil resources
b. mineral resources
c. depletable resources
d. recyclic resources

答え：**b. mineral resources**

それぞれの選択肢は資源の名称である。aのfossil resources（化石資源）とbのmineral resources（鉱物資源）、dのrecyclic resources（循環資源）は資源の出自を示す名称だが、cのdepletable resources（枯渇性資源）は資源の性質を示す名称である。

問題

気候関連財務情報開示タスクフォース

a. GPIF　b. TCFD
c. ASGM　d. UNEP

答え：**b. TCFD**

気候関連財務情報開示タスクフォースは英語表記でTask Force on Climate-related Financial Disclosuresとなり、TCFDはその略称。気候変動は金融市場におけるリスクであるとし、2017年に企業活動における気候変動のリスクやチャンスの情報開示を促すTCFT提言（TCFD recommendations）を公表した。
他の略称の意味はそれぞれ以下の通り。
a：Government Pension Investment Fund＝年金積立金管理運用独立行政法人
c：Artisanal Small-Scale Gold Mining＝人力小規模金採掘
d：United Nations Environment Programme＝国連環境計画

3. 以下の単語に当てはまる英語訳を（　）内に記入せよ。

問題

資源生産性

答え：**resource productivity**

資源生産性（resource productivity）は、一定量の資源から生み出せる経済的価値を示す指標である。資源の効果的な利用のためには、他にも循環利用率（recycling rate）や最終処分量（final disposal amount）といった指標を改善していく必要がある。

問題

早期死亡

答え ：**premature death**

早期死亡（者）（premature death）は、OECD や WHO では「70 歳未満の非感染性疾患による死亡」と定義される。70 歳は世界の平均年齢で、それ以前の死亡は経済に悪影響を与えるものとされる。

問題

非財務情報

答え ：**non-financial information**

非財務情報（non-financial information）は、企業が開示する情報のうち財務諸表（financial statement）といったものを除いた情報を指す。CO_2 排出量や気候変動により企業が抱えるリスクといった ESG 情報も非財務情報に含まれる。

問題

重要課題

答え ：**materiality**

materiality は、ESG 投資の文脈においては企業経営における重要課題を指す（→ *p.*158）。近年は企業が ESG 課題から受ける影響と ESG 課題に及ぼす影響の双方、すなわちダブルマテリアリティ（double materiality）の開示が重要視される。

4. 以下の英単語の意味を、（　）内に日本語で記入せよ。

問題

intermediate treatment

答え ：**中間処理**

中間処理（intermediate treatment）は、脱水や燃焼、分別などを通じて廃棄物の量を削減する過程である。

問題

decoupling

答え ：**分離**

デカップリングでも可。SDGs の文脈においては経済成長と環境負荷のデカップリングを指すことが多く、資源消費量を減少させつつ経済成長させることが最善とされる。

問題

artisanal and small-scale gold mining

答え ：**人力小規模金採掘**

人力小規模金採掘（Artisanal and Small-scale Gold Mining: ASGM）はインドネシアやコンゴなどの発展途上国で行われている手掘りの金採掘を指す。この金採掘では水銀が使用されることが多く、水銀の流出による周辺環境の汚染が問題となっている。また ASGM に携わるのは多くが貧困層のため、人権・労働問題も同時に起きている。

問題

stewardship

答え ：受託者責任

受託者責任（stewardship）は、アセットマネージャーがアセットオーナーに対して負う責任を指す。ESG 投資においてアセットマネージャーは、ESG 課題を考慮した投資先企業の選定や、株主として企業との積極的対話（engagement）が求められる。

---

5. 以下の文章内の（　）に当てはまる単語を記入せよ。

問題

（ A ）is one of the ways to use resources effectively, which is a method of using collected waste as materials or fuel for products.

訳：(A) は資源の効率的な利用方法の一つで、回収した廃棄物を製品の材料や燃料に用いる方法である。

答え ：**Recycling**

空欄に入るのは 3R 活動の一つ、Recycling（再資源化）。他の 2 つは Reuse と Reduce で、Reuse は利用可能な製品の再利用、Reduce は使用する製品量の削減を指す。

問題

（ B ）are the acceptable limit points of the global environment that must not be exceeded for the survival of the human race.

訳：(B) は、人類が生存するために超えてはならない地球環境の許容限界点のことです。

答え ：**Planetary Boundaries**

空欄に入るのは Planetary Boundaries（プラネタリーバウンダリー）。日本語では「プラネタリーバウンダリー」と単数形で表記する場合が多いが、英語では管理すべき 9 つの地球環境の許容量すべてを総称する場合、Planetary Boundaries と複数形で表記する（→ *p.*155）。

問題

（ C ）is a set of principles for investing - which became the catalyst for the spread of ESG investing - that promote the creation of a sustainable society.

訳：(C) は持続可能な社会を実現するための投資の原則であり、ESG 投資が普及するきっかけとなった。

答え ：**PRI**

空欄に入るのは PRI（責任投資原則）。Principles for Responsible Investment でも可（→ *p.*157）。PRI に関連する用語として、PRB（Principles for Resposible Banking、責任銀行原則）、PSI（Principles for Sustainable Insurance、持続可能な保険原則）などがある。

思考問題① p.159～160

問題

1. CO2 排出量を計測する 2 つの基準、すなわち生産基準と消費基準（→*p.*150）について、それぞれどのように算出（calculate）されるのか英語で説明せよ。説明の際は、以下の語句を使用すること。

CO_2 emissions / production-based emissions / consumption-based emissions / imports / supply chain

解答例

Production-based emissions are calculated only for CO_2 emissions generated inside the country. Consumption-based emissions, on the other hand, are calculated based on the CO_2 emissions generated by all supply chains that move products consumed inside the country, including imports.

訳：生産基準排出量は、国内で発生した CO_2 排出量のみを対象に算出される。一方、消費基準排出量は、輸入品を含めて、国内で消費した製品が経由するすべてのサプライチェーンで発生した CO_2 排出量を対象に算出される。

解答ポイント：算出の対象とする排出量の違いを説明できていれば OK。

問題

2. 製品の生産や消費の時点だけでなく、サプライチェーン上での環境負荷（environmental burden）も意識することはなぜ重要なのか。その理由を英語で述べよ。

解答例

This is because even if environmental measures are taken to reduce the environmental burden at the time of production, if the environmental burden in the supply chain remains high or becomes higher, it cannot be said that the environmental burden has been reduced as a whole.

訳：環境対策として製品を生産する時点での環境負荷を低く抑えたとしても、サプライチェーン上での環境負荷が高いまま、もしくはより高くなってしまっているのであれば、全体として環境負荷が減っているとは言えないから。

解答ポイント：「最初から最後まですべての環境負荷を計測する」というのはさまざまな環境対策で出てくる発想。例えばカーボンリーケージ（→*p.*105）への対策は、サプライチェーン上すべての CO_2 排出量を計測するからこそできる対策である。この設問では上記の発想を盛り込めていれば OK だ。

Part 3 Exercise 解答・解説

思考問題② p.164 ～ 165

問題

1. さまざまなフットプリント指標（→ *p.*147）について、この Part 3 で紹介したものに限らず、自分が注目している指標をあげ、それに注目する理由を英語で述べよ。

解答例

I focus on biodiversity footprints because I think the benefits of biodiversity on the ecosystem are higher than that of products with a high biodiversity footprint.

訳：私は生物多様性フットプリントに注目します。なぜなら生物多様性から得ている生態系サービスの恩恵は、生物多様性フットプリントの高い製品よりも価値があると考えるからです。

問題

2. 自分がふだん使っている身の回りのさまざまな製品（スマートフォンやペットボトル、衣服など）の中から一つあげて、その製品に関して知りたいフットプリント指標とその理由を英語で述べよ。

解答例

I would like to know the carbon footprint of smarphones because I use one every day, and I can compare different types whenever I buy a new one.

訳：私はスマートフォンのカーボンフットプリントが知りたいです。なぜなら私はスマートフォンを毎日のように使っているし、新しいものを買う時はたくさんの種類のスマートフォンを比較するからです。

思考問題 p.178 ～ 180

問題

1. ふだんの生活の中で自然環境に優しくない行動（environmentally unfriendly behavior）と思われるものを一つあげ、以下の観点にも触れつつそれを選んだ理由を英語で述べよ。

・その行動は自然環境に対して、どういった影響を与えるのか
・その影響は自然環境にとって、なぜ好ましくないのか

解答例

I often sleep with the heating on in the winter. This increases the demand for thermal power, and therefore can be considered environmentally unfriendly behavior.

訳：私は冬になると暖房をつけたままで寝ることが多いです。これは夜間の電力需要を増加させ、より多くの電力を供給するために火力発電を使用する必要が生じる可能性があります。そのため、私は暖房をつけたまま寝ることは、環境に優しくない行動だと考えます。

問題

2. 個人ができることの中で重要だと考える環境配慮行動を一つあげ、選んだ理由を英語で述べよ。理由を述べる際、その環境配慮行動が自然環境に対して与える影響とその過程もあわせて説明すること。

解答例

I think that it is important to buy electronic appliances that consume less electricity. This is because it will reduce thermal power generation, which generates CO_2.

訳：私は電力消費量のより小さい電化製品を購入することが重要だと考えます。なぜなら、私がそのような製品を使用することで電力需要を抑えることができ、その結果、CO_2 を排出する火力発電の使用を減らすことができると考えたからです。

解答ポイント：前の設問と合わせて、私たちの生活が自然環境に影響を与える際、どのような段階を経るものなのか想像力をはたらかせてほしい。環境問題の複雑さを理解するために必要なことの一つは、そのような視野の広さを持つことである。

問題

3. 環境問題について考える際、グローバルに情報を集める事のメリットは何か。以下の観点からひとつ選び、自分の考えを英語で述べよ。

・得られる情報量の多さや質の違い
・環境問題のグローバル化
・国ごとの優先順位の違い
・サプライチェーンのグローバル化

解答例

In my opinion, how to deal with environmental issues may be determined by the priorities of a country. By learning about the background of a country, it can be considered how well that country can adopt implement environmental measures, and I can consider what disadvantages might arise when implementing them in my own country.

訳：私の考えでは、環境問題にどう対処するかは、その国の優先順位により決められている可能性があります。そのような外国での背景を知ることで、その国で行われている環境対策を取り入れることができるのかどうか、また自分の国へ取り入れた時にどんなデメリットが生じるのかを考えることができます。

解答ポイント：この設問は本書の最後の主張（*p.*174～175）について、多角的に検討してもらうための問題である。設問中であげた各観点を元に、グローバルに情報を集めることの重要性についてぜひ考えてみてほしい。

本誌のご意見・ご感想をお聞かせください！

本書をお買い上げいただき、誠にありがとうございます。
今後の出版の参考にさせていただきたく、ぜひ、ご意見・ご感想をお寄せください。（PC またはスマートフォンで、下記のアンケートフォームよりお願いいたします）

アンケートにお答えいただいた方の中から抽選で毎月 10 名の方に、コスモピア・オンラインショップ（https://www.cosmopier.net/）でお使いいただける 500 円のクーポンを差し上げます。
当選メールをもって発表にかえさせていただきます。

https://forms.gle/kX2wE2EVxYSJHcXr5

英語でもっとわかる！ SDGsの環境問題

2021 年 12 月 1 日　第 1 版第 1 刷発行

著者：有馬 純・沢田 博・南齋規介

編：コスモピア編集部

装丁・本文デザイン：松本田鶴子

校正：高橋清貴

英文校正：Sean McGee

本文写真：iStockphoto

発行人：坂本由子

発行所：コスモピア株式会社
〒 151-0053　東京都渋谷区代々木 4-36-4　MC ビル 2F
営業部：TEL: 03-5302-8378 email: mas@cosmopier.com
編集部：TEL: 03-5302-8379 email: editorial@cosmopier.com

https://www.cosmopier.com/　［コスモピア・全般］
https://www.e-st.cosmopier.com/　［コスモピアｅステーション］
https://www.kids-ebc.com/　［子ども英語ブッククラブ］

印刷：シナノ印刷株式会社